Learn German the Fun Way
with Topics that Matter

For Low- to High-Intermediate Learners (CEFR B1-B2)

by Olly Richards

Edited by Eleonora Calviello
Nicolás Walsh, Academic Editor

Olly Richards Publishing Ltd.

olly@storylearning.com

World War II in Simple German: Learn German the Fun Way With Topics that Matter

FREE STORYLEARNING® KIT

Discover how to learn foreign languages faster & more effectively through the power of story.

Your free video masterclasses, action guides, & handy printouts include:

- A simple six-step process to maximise learning from reading in a foreign language
- How to double your memory for new vocabulary from stories
- Planning worksheet (printable) to learn faster by reading more consistently
- Listening skills masterclass: "How to effortlessly understand audio from stories"
- How to find willing native speakers to practise your language with

WE DESIGN OUR BOOKS TO BE INSTAGRAMMABLE!

BOOKS BY OLLY RICHARDS

Olly Richards writes books to help you learn languages through the power of story. Here is a list of all currently available titles:

Short Stories in Danish For Beginners

Short Stories in Dutch For Beginners

Short Stories in English For Beginners

Short Stories in French For Beginners

Short Stories in German For Beginners

Short Stories in Icelandic For Beginners

Short Stories in Italian For Beginners

Short Stories in Norwegian For Beginners

Short Stories in Brazilian Portuguese For Beginners

Short Stories in Russian For Beginners

Short Stories in Spanish For Beginners

Short Stories in Swedish For Beginners

Short Stories in Turkish For Beginners

Short Stories in Arabic for Intermediate Learners

Short Stories in English for Intermediate Learners

Short Stories in Italian for Intermediate Learners

Short Stories in Korean for Intermediate Learners

Short Stories in Spanish for Intermediate Learners

101 Conversations in Simple English

101 Conversations in Simple French

101 Conversations in Simple German

101 Conversations in Simple Italian

101 Conversations in Simple Spanish

101 Conversations in Simple Russian

101 Conversations in Intermediate English

101 Conversations in Intermediate French

101 Conversations in Intermediate German

101 Conversations in Intermediate Italian

101 Conversations in Intermediate Spanish

101 Conversations in Mexican Spanish

101 Conversations in Social Media Spanish

Climate Change in Simple Spanish

Climate Change in Simple French

Climate Change in Simple German

World War II in Simple Spanish

World War II in Simple French

World War II in Simple German

All titles are also available as audiobooks. Just search your favourite store!

For more information visit Olly's author page at: *www.storylearning.com/books*

ABOUT THE AUTHOR

Olly Richards is a foreign language expert and teacher. He speaks eight languages and has authored over 30 books. He has appeared in international press, from the BBC and the Independent to El País and Gulf News. He has featured in language documentaries and authored language courses for the Open University.

Olly started learning his first foreign language at the age of 19, when he bought a one-way ticket to Paris. With no exposure to languages growing up, and no natural talent for languages, Olly had to figure out how to learn German from scratch. Twenty years later, Olly has studied languages from around the world and is considered an expert in the field.

Through his books and website, StoryLearning.com, Olly is known for teaching languages through the power of story – including the book you are holding in your hands right now!

You can find out more about Olly, including a library of free training, at his website:

www.storylearning.com

CONTENTS

INTRODUCTION

I have a golden rule when it comes to improving your level and becoming fluent in a foreign language: Read around your interests. When you spend your time reading foreign language content on a topic you're interested in, a number of magical things happen. Firstly, you learn vocabulary that is relevant to your interests, so you can talk about topics that you find meaningful. Secondly, you find learning more enjoyable, which motivates you to keep learning and studying. Thirdly, you develop the habit of spending time in the target language, which is the ultimate secret to success with a language. Do all of this, and do it regularly, and you are on a sure path to fluency.

But there is a problem. Finding learner-friendly resources on interesting topics can be hard. In fact, as soon as you depart from your textbooks, the only way to find material that you find interesting is to make the leap to native-level material. Needless to say, native-level material, such as books and podcasts, is usually far too hard to understand or learn from. This can actually work against you, leaving you frustrated and demotivated at not being able to understand the material.

In my work as a language educator, I have run up against this obstacle for years. I invoke my golden rule: "Spend more time immersed in your target language!", but when students ask me where to find interesting material at a suitable level, I have no answer. That is why I write my books, and why I created this series on non-fiction. By creating learner-friendly material on interesting and important topics, I hope to make it possible to learn your target language faster, more effectively, and more enjoyably, while learning about things that matter to you. Finally, my golden rule has become possible to follow!

World War II

If there is one historical event that defines our lives to this day and has sparked the imagination of thousands of works of fiction and academic studies, it is World War II. The impact of the events that unfolded between 1939 and 1945 is undeniable, and many devote their lives to studying this period and continue to discuss its historical, social, geographical, and political implications.

So, what better way to improve your German than to learn about World War II?

World War II in Simple German is the ideal companion to help those with an interest in history improve their German. Not only will you learn the vocabulary you need to talk about history in German but you will also deepen your knowledge about the events of World War II, their social impact, and some of the less-known players of the period (both at home and on the battlefield). Written in a simple style that makes the history easier to understand, you will nonetheless have the satisfaction of reading through a genuine historical text in your target language.

Informative, comprehensive, apolitical, and reviewed at PhD level for historical accuracy, this book is the perfect way to improve your German while learning about one of the most fascinating periods of modern history.

HOW TO USE THIS BOOK

There are many possible ways to use a resource such as this, which is written entirely in German. In this section, I would like to offer my suggestions for using this book effectively, based on my experience with thousands of students and their struggles.

There are two main ways to work with content in a foreign language:

1. Intensively
2. Extensively

Intensive learning is when you examine the material in great detail, seeking to understand all the content – the meaning of vocabulary, the use of grammar, the pronunciation of difficult words, etc. You will typically spend much longer with each section and, therefore, cover less material overall. Traditional classroom learning generally involves intensive learning.

Extensive learning is the opposite of intensive. To learn extensively is to treat the material for what it is – not as the object of language study, but rather as content to be enjoyed and appreciated. To read a book for pleasure is an example of extensive reading. As such, the aim is not to stop and study the language that you find, but rather to read (and complete) the book.

There are pros and cons to both modes of study and, indeed, you may use a combination of both in your approach. However, the "default mode" for most people is to study *intensively*. This is because there is the inevitable temptation to investigate anything you do not understand in the pursuit of progress and hope to eliminate all mistakes. Traditional language education trains us to do this. Similarly, it is not obvious to many readers how extensive study can be effective. The uncertainty and ambiguity can be uncomfortable: "There's so much I don't understand!"

In my experience, people have a tendency to drastically overestimate what they can learn from intensive study and drastically underestimate what they can gain from extensive study. My observations are as follows:

- **Intensive learning**: Although it is intuitive to try to "learn" something you don't understand, such as a new word, there is no guarantee you will actually manage to "learn" it! Indeed, you will be familiar with the feeling of trying to learn a new word, only to forget it shortly afterwards! Studying intensively is also time-consuming, meaning you can't cover as much material.
- **Extensive learning**: By contrast, when you study extensively, you cover huge amounts of material and give yourself exposure to much more content in the language than you otherwise would. In my view, this is the primary benefit of extensive learning. Given the immense size of the task of learning a foreign language, extensive learning is the only way to give yourself the

exposure to the language that you need in order to stand a chance of acquiring it. You simply can't learn everything you need in the classroom!

When put like this, extensive learning may sound quite compelling! However, there is an obvious objection: "But how do I *learn* when I'm not looking up or memorising things?" This is an understandable doubt if you are used to a traditional approach to language study. However, the truth is that you can learn an extraordinary amount *passively* as you read and listen to the language, but only if you give yourself the opportunity to do so! Remember, you learned your mother tongue passively. There is no reason you shouldn't do the same with a second language!

Here are some of the characteristics of studying languages extensively:

Aim for completion: When you read material in a foreign language, your first job is to make your way through from beginning to end. Read to the end of the chapter or listen to the entire audio without worrying about things you don't understand. Set your sights on the finish line and don't get distracted. This is a vital behaviour to foster because it trains you to enjoy the material before you start to get lost in the details. This is how you read or listen to things in your native language, so it's the perfect thing to aim for!

Read for gist: The most effective way to make headway through a piece of content in another language is to ask yourself: "Can I follow the gist of what's going on?" You don't need to understand every word, just the main ideas. If you can, that's enough! You're set! You can understand and enjoy a great amount with gist alone, so carry on through the material and enjoy the feeling of making progress! If the material is so hard that you struggle to understand even the gist, then my advice for you would be to consider easier material.

Don't look up words: As tempting as it is to look up new words, doing so robs you of time that you could spend reading the material. In the extreme, you can spend so long looking up words that you never finish what you're reading. If you come across a word you don't understand… Don't worry! Keep calm and carry on. Focus on the goal of reaching the end of the chapter. You'll probably see that difficult word again soon, and you might guess the meaning in the meantime!

Don't analyse grammar: Similarly to new words, if you stop to study verb tenses or verb conjugations as you go, you'll never make any headway with the material. Try to *notice* the grammar that's being used (make a mental note) and carry on. Have you spotted some unfamiliar grammar? No problem. It can wait. Unfamiliar grammar rarely prevents you from understanding the gist of a passage, but can completely derail your reading if you insist on looking up and studying every grammar point you encounter. After a while, you'll be surprised by how this "difficult" grammar starts to become "normal"!

You don't understand? Don't worry! The feeling you often have when you are engaged in extensive learning is: "I don't understand". You may find an entire paragraph that you don't understand or that you find confusing. So, what's the best response? Spend the next hour trying to decode that difficult paragraph? Or continue reading regardless? (Hint: It's the latter!) When you read in your mother tongue, you will often skip entire paragraphs you find boring, so there's no need to feel guilty about doing the same when reading German. Skipping difficult passages of text may feel like cheating, but it can, in fact, be a mature approach to reading that allows you to make progress through the material and, ultimately, learn more.

If you follow this mindset when you read German, you will be training yourself to be a strong, independent German learner who doesn't have to rely on a teacher or rule book to make progress and enjoy learning. As you will have noticed, this approach draws on the fact that your brain can learn many things naturally, without conscious study. This is something that we appear to have forgotten with the formalisation of the education system. But, speak to any accomplished language learner and they will confirm that their proficiency in languages comes not from their ability to memorise grammar rules, but from the time they spend reading, listening to, and speaking the language, enjoying the process, and integrating it into their lives.

So, I encourage you to embrace extensive learning, and trust in your natural abilities to learn languages, starting with… The contents of this book!

THE FIVE-STEP READING PROCESS

Here is my suggested five-step process for making the most of each chapter in this book:

1. **Read the short key points summarizing the chapter.** This is important, as it sets the context for the whole chapter, helping you understand what you are about to read. Take note of the main points discussed in each sub-section and if you need to remember what you should be focusing on, go back to the key points section.

2. **Read the short chapter all the way through without stopping.** Your aim is simply to reach the end of the section, so do not stop to look up words and do not worry if there are things you do not understand. Simply try to follow the gist of the chapter.

3. **Go back and read the same sub-section a second time.** If you like, you can read in more detail than before, but otherwise simply read it through one more time, using the vocabulary list to check unknown words and phrases where necessary.

4. By this point, you should be able to follow the gist of the chapter. **You might like to continue to read the same section a few more times until you feel confident.**

Ask yourself: "Did I learn anything new about World War II? Were any facts surprising?"

5. **Move on!** There is no need to understand every word in each paragraph, and the greatest value from the book comes from reading it through to completion! Move on to the next section and do your best to enjoy the content at your own pace.

At every stage of the process, there will inevitably be parts you find difficult. Instead of worrying about the things you don't understand, try to focus instead on everything that you do understand, and congratulate yourself for the hard work you are putting into improving your German.

A NOTE FROM THE EDITOR

In this text, the reader will find an interesting re-telling of the events of World War II (WWII). This book covers not only the well-known events and battles you may have learnt about in school but also some of the less-known but just as important aspects of the most momentous armed conflict in human history. The various characters involved, the impact of the war on Latin America, and the consequences of the conflict for humanity as a whole are described throughout the chapters in a way that is both simple and thought-provoking. Each chapter takes into consideration new and original ways of looking at WWII, placing emphasis on different events and processes that occurred simultaneously throughout the war, both on the battlefield and at home, and have shaped modern history as we know it. To this day, many historians continue to investigate and discuss the importance of these events and changes, applying different ideologies and relying on contrasting academic sources too numerous to include in any single book.

The second World War is one of the most studied topics in modern history – both for the events that took place during the conflict and for the consequences ensuing from it. In particular, the rise of the great political superpowers of the time deepened the sense of tension between right- and left-wing ideologies that had been evident since the German Revolution onwards.

World War I and the Great Depression are also key points to fully understand this conflict. World War I, for instance, was the direct consequence of the alliances formed between the world's greatest superpowers during the preceding decades and evolved into a race for supremacy in Europe. This did not end in 1918, however, but rather it exacerbated the tension between the aforementioned powers of left and right. The Russian revolution in 1917 only served to further ignite tensions. Similarly, the Great Depression of the 1930s was the worst economic crisis the world had ever seen, starting in the United States and later affecting the rest of the world. This crisis led to the increasing popularity of fascist movements by presenting them as an alternative to liberalism and democracy and as a critique of society as a whole. In this context, extreme right-wing movements began to prepare to resolve these ideological rivalries once and for all, which led to the most inhumane armed conflict in modern history.

WWII also completely changed the world and shaped the times we are living in today. The economic, social, and political reconstruction of the world after the 1940s was not an easy process. Nor was it possible to restore the lives and communities of all those people who had been directly affected by the war. The sense of loss of entire nations, the memory of the great loss of life, the displacement of refugees, and the trauma suffered by the survivors of concentration camps permanently modified the collective consciousness of the period, forever changing the perspective of future generations.

Furthermore, this conflict completely altered international relations around the globe. The creation of the United Nations in 1945 was a direct result of the deep desire to avoid yet another catastrophic event like WWII. Despite its good intentions, however, the UN didn't guarantee the peace and harmony it championed. The ideological conflict between left and right continued with the tension between the United States and the former USSR, and more recent conflicts have shown that the sense of fear that originated from the events of the second World War is still alive today.

In short, WWII influenced social and political life profoundly and continues to do so today. We can see signs of this influence in the massive expansion of the war industry and a huge emphasis on individual liberties, such as the ideals of democracy and the freedom of expression, that were so threatened by the fascist regimes of Europe. The continued production and popularity of films, literature, and art related to WWII speaks volumes about just how much we still look back at what was certainly one of the most far-reaching events of the twentieth century.

Nicolás Walsh

translated by André Ueckert

1. DER WEG ZUM KRIEG

- *Der Zweite Weltkrieg war einer der blutigsten Kriege aller Zeiten.*
- *Die Mehrheit aller Länder nahm an ihm teil.*
- *Die wirtschaftlichen und politischen Folgen des Krieges sind noch heute spürbar.*

1914, Erster Weltkrieg. Highland Territorials in einem Graben. Fotograf: H. D. Girdwood. British Library auf Unsplash

Zu seinerzeit bezeichneten die Historiker den Ersten Weltkrieg als „Krieg, der allen Kriegen ein Ende bereitet". Er **verwüstete** Europa und war außerdem eine der Ursachen des Zweiten Weltkriegs. Mehr als 38 Millionen Menschen starben im Ersten Weltkrieg!

Die Jahre zwischen dem Ersten und dem Zweiten Weltkrieg (1919-1939) werden als „Zwischenkriegszeit" bezeichnet. Während dieser Zeit gewannen die faschistischen Bewegungen an Kraft. Zunächst war der Faschismus eine Antwort auf das wirtschaftliche und politische Chaos in Europa. Faschistische Regierungen verfolgten jedoch eine illiberale, expansionistische und nationalistische Politik und verursachten Konflikte und bewaffnete **Auseinandersetzungen** auf der ganzen Welt.

Nach der Weltwirtschaftskrise bildeten Deutschland, Italien und Japan eine Allianz, die als **„Achsenmächte"** bezeichnet wird. Die Achsenmächte hatten zwei Ziele: ihre Staatsgebiete zu erweitern und den Kommunismus in der Welt zu bekämpfen. Japan **besetzte** die Mandschurei (eine Region im Nordosten Chinas), Italien marschierte in Äthiopien ein und Deutschland übernahm die Kontrolle über Österreich, die Tschechoslowakei und Polen.

Als Reaktion auf diese Bewegung umfassten Großbritannien, Frankreich, die Vereinigten Staaten und die Sowjetunion die Alliierten, welche die Expansion der Achsenmächte stoppen wollten.

Diese Einführung erklärt, woraus dieser bewaffnete Konflikt bestand, was die Gründe für seinen **Ausbruch** waren, welche Seiten gegeneinander gekämpft haben sowie die grundlegenden Konzepte, um diese Ära zu verstehen.

DER VERLAUF DER ZWISCHENKRIEGSZEIT (1919-1939)

Wir erwähnen den Verlauf der Zwischenkriegszeit, um besser verstehen zu können, wie es zum Zweiten Weltkrieg kommen konnte. In diesen Jahren kam es zu wichtigen politischen Veränderungen, die mit dem Ausbruch des Zweiten Weltkriegs endeten.

1918

- **11. November:** Der **Waffenstillstand** von Compiègne wird unterzeichnet. Dieses Dokument gilt als offizielles Ende des Ersten Weltkriegs.

1919

- **28. Juni:** Der **Vertrag** von Versailles wird unterzeichnet. Die Alliierten verhängen politische und wirtschaftliche Sanktionen gegen Deutschland.

1920

- **10. Januar:** Am selben Tag, an dem der Vertrag von Versailles **in Kraft trat**, wurde der Völkerbund ins Leben gerufen. Er wurde geschaffen, um zukünftige Konflikte zu vermeiden und den Weltfrieden zu wahren.

- November: Der Völkerbund tagt zum ersten Mal in Genf. Die Vereinigten Staaten nehmen an diesem Treffen nicht teil.

1922

- **30. Oktober:** Marsch auf Rom. Benito Mussolini wird Ministerpräsident von Italien.

1923

- **8. bis 9. November:** Hitlerputsch: Hitler versucht gemeinsam mit der Nationalsozialistischen Partei einen **Putsch**. Der Versuch scheitert, Hitler wird vor Gericht gestellt und zu einer Gefängnisstrafe verurteilt.

1925

- **1. Dezember:** Die Verträge von Locarno werden unterzeichnet. In diesem Pakt vereinbaren Deutschland, Frankreich und Belgien, die bestehenden Grenzen zu respektieren.

1926

- **Januar:** Die britischen **Besatzungstruppen** verlassen Köln.

- **8. September:** Deutschland tritt dem **Völkerbund** bei.

1929

- 24. Oktober: Schwarzer Freitag. Die New Yorker Börse an der Wall Street geht bankrott und verursacht eine weltweite Wirtschaftskrise.

1931

- **28. September:** Japanische Invasion der Mandschurei im Nordosten Chinas.

1933

- **30. Januar:** Hitler wird Kanzler der Koalitionsregierung in Deutschland. Roosevelt tritt sein Amt als Präsident der Vereinigten Staaten von Amerika an.
- **27. März:** Japan verlässt den Völkerbund.
- **14. Oktober:** Deutschland verlässt den Völkerbund.

1934

- **30. Juni:** Röhm-Putsch. In Deutschland ermorden mehrere SS-Offiziere Ernst Röhm (den Kommandeur der Sturmtruppen) auf direkten Befehl von Kanzler Hitler.
- **1. August:** Bundespräsident Hindenburg ist tot. Hitler wird Führer und Oberbefehlshaber der deutschen Regierung. Das Dritte Reich ist geboren.

1935

- **9. März:** Offizielle Gründung der Luftwaffe.
- **16. März:** Hitler beginnt, Soldaten zu rekrutieren und sich auf den Krieg vorzubereiten.
- **15. September:** Die von Hitler vorgeschlagenen Nürnberger Gesetze treten in Kraft. Diese Gesetze nehmen Juden die deutsche Staatsangehörigkeit ab

und verbieten Beziehungen zwischen Juden und nichtjüdischen Deutschen.

- **3. Oktober:** Italien überfällt Äthiopien.
- **18. November:** Der Völkerbund verhängt Sanktionen gegen Italien wegen der Invasion Äthiopiens. Diese Sanktion stellt sich als unwirksam heraus und die Organisation verliert an Macht.

1936

- **7. März:** Deutschland besetzt das Rheinland mit militärischen Truppen, verletzt den Versailler Vertrag und bedroht Frankreich.
- **17. bis 18. Juli:** Der Spanische Bürgerkrieg beginnt. Darin treten Mitglieder politischer Parteien und linker Gewerkschaften General Franco und seinen Gefolgsleuten gegenüber. Franco war ein Militär, der gegen die Regierung der spanischen Republik rebellierte. Deutschland und Italien unterstützen Franco, während die Sowjetunion und die Internationalen Brigaden die republikanische Regierung unterstützten.
- **25. Oktober:** Die Achse Rom-Berlin wird gegründet
- **23. November:** Deutschland und Japan unterzeichnen den Antikominternpakt (internationaler antikommunistischer Pakt).

1937

- **25. April:** Deutsche Flugzeuge bombardieren Guernica

(Spanien), nachdem sie die **Genehmigung** von Francisco Franco erhalten haben.

- **7. Juli: Zwischenfall** an der Marco-Polo-Brücke. Die Japaner dringen in China ein.
- **6. November:** Italien schließt sich Deutschland und Japan im Antikominternpakt an.
- **13. Dezember: Massaker** von Nanking (China). Die Japaner töten in nur sechs Wochen 150.000 Chinesen.

1938

- **13. März:** Der **Anschluss**: Deutschland dringt in Österreich ein und übernimmt die Kontrolle über das Staatsgebiet.
- **10. November:** Reichskristallnacht. Die SS greift jüdische Geschäfte in ganz Deutschland und Österreich an. Deutschland beginnt, 30.000 Juden in Konzentrationslager zu deportieren.

1939

- **15. März:** Deutschland **beansprucht** einen Teil des Staatsgebiets der Tschechoslowakei.
- **31. März:** Frankreich und England kündigen an, Polen zu helfen, falls Deutschland das Land angreift.
- **1. April:** Der Spanische Bürgerkrieg endet. Der faschistische Diktator Francisco Franco gewinnt.
- **26. April:** England rekrutiert Soldaten für den Krieg.

- **22. Mai:** Deutschland und Italien unterzeichnen den Stahlpakt und bilden ein politisches und militärisches Bündnis.
- **23. Mai:** Hitler bereitet den **Einmarsch** in Polen vor.
- **23. August:** Die Sowjetunion und Deutschland unterzeichnen den Nichtangriffsvertrag. Der Pakt umfasste einen geheimen Abschnitt, in dem die Gebiete Osteuropas aufgeteilt wurden.
- **1. September:** Deutschland überfällt Polen. England und Frankreich erklären Deutschland den Krieg. Der Zweite Weltkrieg beginnt.

Vokabular

verwüstete (verwüsten) to devastate
(die) Auseinandersetzungen confrontations
(die) Achsenmächte axis powers
besetzte (besetzen) to occupy
(der) Ausbruch outbreak
(der) Verlauf course
(der) Waffenstillstand armistice
in Kraft treten come into effect
tagt (tagen) to meet
(der) Putsch coup
(die) Besatzungstruppen occupying forces
(der) Völkerbund League of Nations
(die) Börse stock market
(die) Genehmigung permit, approva
(der) Anschluss annexation
beansprucht (beanspruchen) to claim
(der) Einmarsch invasion

1.1. WAS WAR DER ZWEITE WELTKRIEG?

- *Mehr als 60 Millionen Menschen starben im Zweiten Weltkrieg.*
- *Der Krieg dauerte 6 Jahre. Von 1939 bis 1945.*
- *Zwei Seiten bekämpfen sich: die Alliierten und die Achsenmächte.*

Luxembourg American Cemetery and Memorial, Luxemburg. Foto von Diogo Palhais auf Unsplash.

Der Zweite Weltkrieg ist einer der **berüchtigsten** und bekanntesten bewaffneten Auseinandersetzungen der westlichen Geschichte. Er gilt als Weltkrieg, weil die mächtigsten Länder der damaligen Zeit daran teilgenommen haben: Deutschland, Frankreich, Großbritannien, Japan, die Vereinigten Staaten, China und die Sowjetunion (Russland). Außerdem war er der **zerstörerischste** Konflikt der Menschheit, mit mehr als 40 Millionen toten Militärangehörigen und 20 Millionen zivilen Opfern.

Der Zweite Weltkrieg fand hauptsächlich an Land statt, sodass zumeist Infanterietruppen zum **Einsatz** kamen. Dennoch bestand er auch aus Seeschlachten, wobei besonders der Einsatz der U-Boote zu erwähnen ist. Die während des Zweiten Weltkriegs entwickelten Technologien waren für die Alliierten von großer Bedeutung. Sie sicherten ihnen den Sieg. Zu erwähnen sind beispielsweise Innovationen wie Radargeräte, Bomben und Raketen, die von beiden Seiten eingesetzt wurden.

Der Zweite Weltkrieg unterscheidet sich vom Ersten Weltkrieg dadurch, dass auch Länder außerhalb Europas daran teilnahmen. Der Zweite Weltkrieg erreichte den Pazifik, den Fernen Osten, Nordafrika und auch Russland, wo große Land-, See- und Luftschlachten stattfanden.

Der Zweite Weltkrieg ist nicht der längste Krieg der Geschichte, da er weniger als sieben Jahre dauerte (1939-1945). Er ist deswegen so berüchtigt, weil er ein sehr schneller Krieg war. Es kam zu drastischen Veränderungen auf politischer, militärischer, wirtschaftlicher, kultureller und sozialer Ebene. Dies liegt daran, dass der Krieg auf direkten Angriffen auf den Feind beruhte, während im Ersten Weltkrieg **Schützengräben** und **Verteidigungsstrategien** verwendet wurden. Während des Zweiten Weltkriegs wurden in kurzer Zeit revolutionäre Fahrzeuge, Flugzeuge und Panzer entwickelt, was die Schlachten umso schneller und agiler werden ließ.

An Land spielten **Panzer** aufgrund ihrer Geschwindigkeit und Größe eine wichtige Rolle. Sie dienten dazu, Infanterietruppen den Weg zu ebnen und ihre Panzerung schützte sie vor Angriffen. Die deutschen Panzerwagen waren so schnell, dass sie es ihnen ermöglichten, Polen und Frankreich mit einer nie dagewesenen Geschwindigkeit zu überfallen.

Beide Seiten entwickelten immer schnellere und wendigere Flugzeuge, mit denen Bodentruppen bombardiert und unterstützt wurden. Die Briten entwickelten Radargeräte, mit denen Flugzeuge sogar U-Boote finden und zerstören konnten. Die bekannteste Luftwaffe des Zweiten Weltkriegs war die deutsche mit mehr als 4.000 Kampfflugzeugen, wovon 2.000 Bomber waren.

Die U-Boote wurden bei vielen Gelegenheiten auf See eingesetzt. Aufgrund der großen Anzahl von Unterwasserminen, Wasserbomben und der strategischen Platzierung von Kriegsschiffen waren sie jedoch nicht so effektiv wie erwartet. Flugzeugträger (große Schiffe, die mehrere Flugzeuge transportieren) waren **entscheidend** im Pazifikkrieg. Besonders zu erwähnen ist die Schlacht von Midway (1942), bei der die Flugzeugträger es den Vereinigten Staaten ermöglichten, gegen Japan einen wichtigen Sieg zu erringen.

Auch die Bomben wurden während des Zweiten Weltkriegs perfektioniert. Die Deutschen nutzten neu entwickelte **Raketen**, mit denen London angegriffen wurde. Die zerstörerischsten Bomben waren jedoch die Atombomben, die von den Vereinigten Staaten auf zwei japanische Städte abgeworfen wurden: Hiroshima und Nagasaki. Aufgrund ihrer radioaktiven Kraft töteten die Bomben von Hiroshima und Nagasaki **auf der Stelle** fast 200.000 Menschen.

Leider forderte der Zweite Weltkrieg nicht nur militärische, sondern auch tausende zivile Opfer. Besonders tragisch sind die vielen Toten der zahlreichen Bombenangriffe auf die Städte. Nicht zu vergessen sind die von den Nazis über 5 Millionen **vorsätzlich** getöteten Juden in den **Vernichtungslagern**. Hinzu kommen 21 Millionen Menschen, die zur **Zwangsarbeit** gezwungen oder zumindest vor einfallenden Armeen aus ihrer Heimat **vertrieben** wurden.

DIE PHASEN DES ZWEITEN WELTKRIEGS

Der Verlauf des Zweiten Weltkriegs kann in vier verschiedene Phasen unterteilt werden:

1. Phase: Die ersten Auseinandersetzungen (1939 bis 1940)

Nach der Unterzeichnung des **Nichtangriffspakts** zwischen Deutschland und Russland fielen beide Länder im September 1939 in Polen ein und teilten es auf. Fünf Monate später besetzten die Deutschen Dänemark und Norwegen und griffen wiederum einen Monat später die Niederlande, Belgien und Frankreich an. Nachdem Nordfrankreich erobert war, griffen die Deutschen zwischen Juli und September 1940 Großbritannien aus der Luft an. Dies erwies sich jedoch als **unwirksam**. Im gleichen Zeitraum überfiel Mussolini Ägypten und Griechenland.

2. Phase: Angriff der Achsenmächte (1941 bis 1942)

Zu dieser Zeit war Großbritannien auf sich alleine gestellt. In diesem Zusammenhang beschloss Adolf Hitler im Juni 1941, Russland anzugreifen. Dieser Angriff brach den Nichtangriffspakt, den Deutschland und die Sowjetunion 1939 unterzeichnet hatten. Die Russen schlossen sich nun den Alliierten an. Der japanische Angriff auf den Marinestützpunkt Pearl Harbor im Dezember 1941 drängte die Vereinigten Staaten dazu, den Achsenmächten den Krieg zu erklären.

3. Phase: Angriff der Alliierten (1942 bis 1943)

Die Vereinigten Staaten schlossen sich Großbritannien im Kampf gegen die Achsenmächte an. Im Juni 1942

drängten die Vereinigten Staaten die Japaner in der Schlacht von Midway Island im Pazifik **zurück**. Im September 1942 verteidigten die Russen Stalingrad vor deutschen Angriffen. Im Oktober 1942 besiegten die Alliierten die Deutschen in der Schlacht von El Alamein und **vertrieben** sie aus Nordafrika. Die Bombenangriffe auf sowohl englische als auch deutsche Städte intensivierten sich. Im Atlantik beseitigten die Briten und Amerikaner langsam die Gefahr durch deutsche U-Boote

4. Phase: Die Niederlage der Achsenmächte (1943 bis 1945)

Die schiere Masse an Ressourcen und Soldaten der Vereinigten Staaten und der Sowjetunion schwächten die Achsenmächte bis hin zur letztendlichen Kapitulation im Jahr 1945. Italien fiel als erstes Land. Nach dem D-Day am 6. Juni 1944 (auch als Landung in der Normandie bekannt) wurden Frankreich, Belgien und die Niederlande **befreit**. Schließlich überquerten die Alliierten den Rhein und eroberten Köln.

Gleichzeitig rückten die Russen über Polen nach Deutschland vor. Deutschland kapitulierte schließlich im Mai 1945. Japan kapitulierte im August 1945, als die Vereinigten Staaten Atombomben auf zwei der wichtigsten Städte abwarfen: Hiroshima und Nagasaki.

Wusstest du schon?

Während des Zweiten Weltkriegs gab es nicht viel Schokolade, sodass der Preis in die Höhe schoss. Als Notlösung hat der italienische Bäcker Pietro Ferrero Nutella als billigere Alternative zu traditioneller Schokolade entwickelt.

Vokabular

berüchtigt notorious
zerstörerisch destructive
(der) Einsatz deployment
(die) Schützengräben trenches
(die) Verteidigungsstrategien defence strategies
(der) Panzer tank
entscheidend crucial, decisive
(die) Raketen rockets
auf der Stelle at once
vorsätzlich intentional, deliberate
(die) Vernichtungslager extermination camp
(die) Zwangsarbeit forced labour
vertrieben (vertreiben) to drive out, chase away
(der) Nichtangriffspakt non-aggression pact
unwirksam ineffective
drängten zurück (zurückdrängen) to push back
(die) Niederlage defeat
befreit (befreien) to liberate, to free

1.2. WARUM IST DER ZWEITE WELTKRIEG AUSGEBROCHEN?

- *Der Zweite Weltkrieg begann aufgrund der Unzufriedenheit und Demütigung durch die Friedensverträge des Ersten Weltkriegs.*
- *Deutschland wurde nach dem Ersten Weltkrieg schwer bestraft.*
- *Der deutsche Überfall auf Polen war der Grund für die Kriegserklärung an Deutschland.*

Die Gründe, die zum Zweiten Weltkrieg führten, waren vielfältig und komplex. Als Hauptursache werden jedoch die Sanktionen gegen Deutschland nach dem Ersten Weltkrieg angesehen. Daher ist der Zweite Weltkrieg eine direkte Folge des Ersten Weltkriegs.

Nach dem Ersten Weltkrieg wurden verschiedene **Friedensverträge** unterzeichnet. Am bekanntesten ist der Vertrag von Versailles zwischen den Alliierten und Deutschland. Aber nicht alle Unterzeichner setzten die neu vereinbarten Bedingungen auch um.

Am unzufriedensten mit den Ergebnissen des Ersten Weltkriegs war Deutschland. Die Alliierten **verhängten** viele politische und wirtschaftliche Sanktionen gegen Deutschland. Im nächsten Kapitel erläutern wir, wie politische Sanktionen und die Wirtschaftskrise in Europa den Beginn des Zweiten Weltkriegs verursachten.

DER VERTRAG VON VERSAILLES

Der Vertrag von Versailles war ein Friedensabkommen, das am Ende des Ersten Weltkriegs unterzeichnet wurde. Der Vertrag wurde am 28. Juni 1919 auf der Pariser Friedenskonferenz im Schloss von Versailles (Frankreich) unterzeichnet. **Vertreter** der vier großen Nationen nahmen an der **Ausarbeitung** und **Unterzeichnung** des Vertrags teil: David Lloyd George aus Großbritannien, Georges Clemenceau aus Frankreich, Woodrow Wilson aus den Vereinigten Staaten und Vittorio Orlando aus Italien. Deutschland war nicht an der Ausarbeitung oder Unterzeichnung des Vertrags beteiligt und wurde für den Krieg verantwortlich gemacht.

Der Vertrag von Versailles versuchte, die Verluste des Ersten Weltkriegs wiedergutzumachen und zwang Deutschland, den Alliierten den entstandenen **Schaden** zu zahlen. So beinhaltete der Vertrag strenge Sanktionen für Deutschland:

1. **Verkleinerung** des deutschen Staatsgebiets um 10 %. Belgien gewann deutsche Regionen hinzu, während Dänemark und Frankreich Gebiete in der Nähe der deutschen Grenze zurückeroberten. Polen wurde als unabhängiger Staat vollständig wiederhergestellt. Alle deutschen Kolonien in China, im Pazifik und in Afrika

wurden zwischen Großbritannien, Frankreich, Japan und anderen alliierten Nationen aufgeteilt.

2. Verkleinerung der deutschen Armee auf nur noch 100.000 Soldaten.

3. Verbot der Herstellung von Panzern, U-Booten, Flugzeugen und Giftgas. Nur wenige Fabriken durften Waffen und Munition herstellen.

4. Die **Entmilitarisierung** ganz Westdeutschlands. Der Völkerbund sollte dafür werben, dass auch andere Länder in Europa demilitarisiert werden. Die Verpflichtung, bis zu 33 Milliarden Dollar zu zahlen, um die während des Krieges verursachten Schäden auf französischem und belgischem Gebiet zu beheben.

Diese Sanktionen erzeugten viel Unzufriedenheit im deutschen Volk. Nicht wenige Deutsche hielten die Sanktionen für viel zu hart. Diese soziale Unzufriedenheit **erleichterte** den Aufstieg des Nationalsozialismus als neue Regierung zur Verteidigung der deutschen Interessen. Die Nazis waren der Ansicht, der Versailler Vertrag habe Deutschland **gedemütigt**, weil er das Land gezwungen habe, **Unmengen** an Schulden aufzunehmen und zahlreiche Gebiete **abzutreten**. Das von Hitler geführte Deutschland unternahm den Versuch, die Sanktionen zu ignorieren und die nach dem Ersten Weltkrieg verlorenen Gebiete zurückzuerobern. Deutschland begann, die großen Mächte herauszufordern und einen neuen Krieg zu provozieren, um diese Ziele zu erreichen.

DER VÖLKERBUND

Der Vertrag von Versailles umfasste zudem die Bedingung für die Bildung des Völkerbundes. Diese Organisation **strebte** danach, den Weltfrieden und die Achtung des Staatsgebiets aller Länder der Welt zu **wahren**. Der Völkerbund sollte Länder bestrafen, die anderen den Krieg erklärten. Gleichzeitig sollte er den Versuch unternehmen, die Zahl der Waffen in den als potenziell bedrohlichen zählenden Ländern zu reduzieren.

Der Völkerbund hat es nicht geschafft, die Zahl der Waffen im übrigen Europa zu reduzieren, da er weder die wirtschaftliche noch die militärische Macht dazu hatte. Als Japan im Jahr 1931 in die Mandschurei (Nordostchina) einmarschierte, wurden daher weder wirtschaftliche noch militärische Sanktionen verhängt. Grund dafür war, dass Großbritannien und Frankreich in einer Wirtschaftskrise steckten und nicht das Geld hatten, einen Krieg zu beginnen. Daher marschierte Japan in die Mandschurei ein und verließ den Völkerbund kurze Zeit später im Jahr 1933, ohne Konsequenzen befürchten zu müssen.

Im Oktober 1933 trat Deutschland ebenfalls aus dem Völkerbund aus. Nur wenige Zeit später, im März 1935, weigerte sich Deutschland, den Vertrag von Versailles zu erfüllen. Gleichzeitig begann Deutschland trotz aller Forderungen Frankreichs, der Sowjetunion und Großbritanniens mit dem Wiederaufbau seiner Streitkräfte. Auch in diesem Fall stellte sich der Völkerbund bei der **Gewährleistung** der Entmilitarisierung Deutschlands als unwirksam heraus.

Im Angesicht der expansiven Politik Deutschlands in Österreich und der Tschechoslowakei zog es der Völkerbund vor, eine Politik der **„Befriedung"** zu verfolgen und zu versuchen, Hitlers **Bestrebungen** zu minimieren und einen Krieg zu **vermeiden**.

Italiens Invasion in Äthiopien war ein weiterer Vorfall, der die fehlende Macht des Völkerbundes **untermauerte**. Er verhängte zwar Wirtschaftssanktionen gegen Italien, diese waren aber so hoffnungslos wirkungslos, dass Italien sie schlicht ignorierte und im Mai 1936 in Äthiopien einmarschierte.

Der Einmarsch in Äthiopien zeigte die **Unfähigkeit** des Völkerbundes, den Frieden zu garantieren. Dies erleichterte es Japan, Italien und Deutschland, sich zusammenzuschließen, um den Zweiten Weltkrieg zu beginnen.

DER SPANISCHE BÜRGERKRIEG

Ein weiterer bewaffneter Konflikt, der den Zweiten Weltkrieg **auslöste**, war der Spanische Bürgerkrieg zwischen 1936 und 1939. Dieser Krieg begann, als der Militärangehörige Francisco Franco und seine Anhänger gegen die Regierung der Spanischen Republik rebellierten. Auf der einen Seite unterstützten Faschisten und Konservative Francisco Franco. Die Regierung der Spanischen Republik wurde von Sozialisten, Kommunisten und Anarchisten unterstützt. Beide Seiten kämpften darum, möglichst viel Staatsgebiet Spaniens zu kontrollieren.

Mehrere europäische Länder mischten sich in diesen Konflikt ein. Italien und Deutschland unterstützten Francos nationalistische Fraktion, während Russland der republikanischen Regierung half. Einer der ersten Luftangriffe auf eine Zivilbevölkerung erfolgte gegen Guernica in Nordspanien. Während dieses Angriffs testeten deutsche Flugzeuge eine neue Bombe. Der Spanische Bürgerkrieg endete Anfang 1939 mit dem Fall Barcelonas. Von diesem Moment an schuf Francisco Franco eine faschistische Diktatur in Spanien.

DIE WELTWIRTSCHAFTSKRISE

Auch die Weltwirtschaftskrise war ein Auslöser des Zweiten Weltkriegs. Die Zeit zwischen 1929 und 1933 wird als Weltwirtschaftskrise bezeichnet. Sie war **geprägt** durch hohe Arbeitslosigkeit, wenig Geld und geringe Investitionen. Die Weltwirtschaftskrise begann in den Vereinigten Staaten und betraf wenig später die ganze Welt, wobei besonders Deutschland unter ihr litt. In Deutschland trug die Weltwirtschaftskrise zum Machtantritt Adolf Hitlers bei, als er dem deutschen Volk versprach, die Wirtschaft wieder aufzubauen.

DER ÜBERFALL AUF POLEN

Schließlich führte der deutsche Einmarsch in Polen im Jahr 1939 zum Ausbruch des Zweiten Weltkriegs. Zuvor hatten Frankreich und Großbritannien Polen versprochen, im Falle eines deutschen Angriffs aktiv zu werden. Als Deutschland 1939 Polen **überfiel**, erklärten Frankreich und Großbritannien Deutschland deshalb den Krieg.

Der Vertrag von Versailles, der Völkerbund und die durch die Weltwirtschaftskrise verursachten gesellschaftlichen sowie finanziellen Probleme waren drei Faktoren, die zusammen mit der aggressiven Politik Italiens, Japans und Deutschlands zum Ausbruch des Zweiten Weltkriegs beigetragen haben. Die meisten westlichen Länder beteiligten sich an diesem Konflikt.

Wusstest du schon?

Die Vereinigten Staaten unterzeichneten nie den Versailler Vertrag, obwohl Präsident Woodrow Wilson ihn unterstützte.

Vokabular

(die) Demütigung humiliation
(der) Überfall attack, assault, raid
(die) Friedensverträge peace contracts
verhängten (verhängen) to impose
(die) Vertreter representative
(die) Ausarbeitung drafting
(die) Unterzeichnung signing
(der) Schaden damage
(die) Verkleinerung reduction, scaling down
erleichterte (erleichtern) to ease, to relieve
gedemütigt (demütigen) to humiliate
(die) Unmengen vast amount
abzutreten (abtreten) to cede

strebte (streben) to strive, to aspire
wahren to maintain, to preserve
(die) Gewährleistung warranty
(die) Befriedung pacificaton
(die) Bestrebungen aspirations, efforts
vermeiden to avoid
untermauerte (untermauern) to underpin, to corroborate
(die) Unfähigkeit inability, incapacity
(der) Bürgerkrieg civil war
auslöste (auslösen) to trigger
(die) Wirtschaftskrise economic crisis, depression
geprägt (prägen) to shape
überfiel (überfallen) to attack, to assault

1.3. WER KÄMPFTE GEGEN WEN? DIE ACHSENMÄCHTE UND DIE ALLIIERTEN

- *Im Krieg bekämpften sich zwei Fraktionen: die Achsenmächte und die Alliierten.*
- *Die Alliierten waren Großbritannien, Frankreich, Russland, die Vereinigten Staaten und China.*
- *Die Achsenmächte waren Deutschland, Italien und Japan.*

Deutsche Medaillen aus dem Zweiten Weltkrieg, Foto von A_Different_Perspective auf pixaby.com

Der Zweite Weltkrieg war ein bewaffneter Kampf zwischen zwei Seiten: den Achsenmächten und den Alliierten.

Die Achsenmächte bestanden aus 3 Ländern: Deutschland, Italien und Japan. Großbritannien, Frankreich, die Sowjetunion (das heutige Russland), die Vereinigten Staaten und China bildeten hingegen die Alliierten. In diesem Kapitel lernen wir die politischen Interessen der einzelnen Länder und ihre Gründe für die Teilnahme am Krieg kennen.

DIE ACHSENMÄCHTE

Die Achsenmächte bestanden aus drei Ländern: Deutschland, Italien und Japan. Alle drei Länder überfielen in der Zwischenkriegszeit andere Nationen, was eine der Hauptursachen für den Zweiten Weltkrieg war.

Am 3. Oktober 1935 marschierte Italien in Äthiopien ein. Ab 1931 begann Japan, die Mandschurei im Nordosten Chinas zu besetzen. Im Jahr 1936 besetzte und militarisierte Deutschland das Rheinland, gefolgt von Österreich im Jahr 1938 und Teile der Tschechoslowakei ein Jahr später.

Die Führer dieser drei Länder wollten jede kommunistische oder sozialistische **Bewegung** auf der Welt beseitigen. Am 23. November 1936 unterzeichnen Deutschland und Japan den Antikominternpakt. Am 6. November 1937 tritt Italien aus dem Völkerbund aus.

Nach Ausbruch des Zweiten Weltkriegs unterzeichneten

Deutschland, Italien und Japan am 27. September 1940 den **Dreimächtepakt** und bildeten somit die Achsenmächte. Während des Krieges **schlossen** sich auch Ungarn, Rumänien, die Slowakei, Bulgarien, Norwegen und Jugoslawien (heute Kroatien, Mazedonien, Bosnien, Montenegro und Serbien) der Achsenmächte **an**, weil sie entweder gezwungen wurden oder weil ihnen bei einem Sieg mehr Gebiete versprochen worden waren.

DIE ALLIIERTEN

Die alliierten **Streitkräfte** bestanden aus Großbritannien, Frankreich, der Sowjetunion, den Vereinigten Staaten von Amerika und China. Außerdem galten alle Länder, die während des Krieges am 1. Januar 1942 die Erklärung der Vereinten Nationen unterzeichneten, als Verbündete. Diese Länder waren: Australien, Belgien, Kanada, Costa Rica, Kuba, die Dominikanische Republik, El Salvador, Griechenland, Guatemala, Haiti, Honduras, Indien, Luxemburg, die Niederlande, Neuseeland, Nicaragua, Norwegen, Panama, Polen und Südafrika. Mexiko, die Philippinen, Äthiopien, der Irak, Brasilien, Bolivien, der Iran, Kolumbien, Liberia, Frankreich, Ecuador, Peru, Chile, Paraguay, Venezuela, Uruguay, die Türkei, Ägypten, Syrien und der Libanon kamen später hinzu.

Zu Beginn des Zweiten Weltkriegs gehörte die Sowjetunion nicht zu den Alliierten, da Stalin einen Nichtangriffspakt mit Hitler unterzeichnet hatte. Doch dann überfiel Deutschland am 22. Juni 1941 die Sowjetunion. Dies brach den Nichtangriffspakt, wodurch sich die Sowjetunion den Alliierten anschloss, um Deutschland aufzuhalten.

Die Vereinigten Staaten zählten ursprünglich ebenfalls nicht zu den alliierten Streitkräften, sondern waren ein neutrales Land. Japans Angriff auf den US-Marinestützpunkt Pearl Harbor ließ den Vereinigten Staaten jedoch keine Wahl, ebenfalls in den Krieg zu ziehen. Während dieses Angriffs zerstörten die Japaner 350 Flugzeuge und 5 Kriegsschiffe. Fast 4.000 Menschen, darunter sowohl Zivilisten als auch Soldaten, kamen ums Leben.

China war ebenfalls Teil der Alliierten, weil Japan in der Zwischenkriegszeit einen Teil des chinesischen Staatsgebiets angegriffen hatte. China kämpfte im Pazifikkrieg an der Seite der Vereinigten Staaten und Großbritanniens, um Japan aus der Region zu **verdrängen**.

Wusstest du schon?

Neben der Schweiz gab es viele weitere Lander, die sich für neutral erklärt haben. Dazu zählen etwa Costa Rica, Dänemark, Irland und Liechtenstein.

Vokabular

(die) Bewegung movement
(der) Dreimächtepakt Tripartite Pact
schlossen an (anschließen) to follow, to connect
(die) Streitkräfte armed forces
verdrängen to push away, to suppres

2. DIE WICHTIGSTEN AKTEURE

- *Unter den Alliierten sind Winston Churchill, Stalin und Franklin Roosevelt die wichtigsten Charaktere.*
- *Auf der Seite der Achsenmächte sind Benito Mussolini und Adolf Hitler zu erwähnen, die in Italien und Deutschland regierten.*

Churchill, Roosevelt und Stalin auf der Konferenz von Jalta, Februar 1945

In diesem Abschnitt stellen wir Kurzbiografien der wichtigsten Akteure des Zweiten Weltkriegs vor. Dabei handelt es sich um wichtige Persönlichkeiten, deren Entscheidungen den Verlauf des Krieges bestimmten.

Wir beginnen mit dem italienischen Diktator Benito Mussolini. Mussolini war der **Gründer** des ersten faschistischen Regimes in Europa. Er **verfolgte**, vertrieb und ermordete Kommunisten und Sozialisten in ganz Italien. Er war während des Zweiten Weltkriegs für den Pakt zwischen Italien und Deutschland verantwortlich.

Weiter geht es mit Adolf Hitler, dem **Schöpfer** des deutschen Nationalsozialismus. Mit Hitler wollte Deutschland die Grenzen Deutschlands auf andere Länder **ausdehnen**, was nach dem Überfall auf Polen zur Erklärung des Zweiten Weltkriegs führte.

Iósif Vissarionovich Djugashvili, besser bekannt als Stalin („**der Stählerne**"), war der Präsident des Rats der Volkskommissare (später Ministerrat der UdSSR) und **Oberbefehlshaber** der Roten Armee. Er hatte diese Rolle vor, während und nach dem Zweiten Weltkrieg inne und förderte den Kommunismus in allen Ländern der Sowjetunion. Während des Zweiten Weltkriegs führte er die Rote Armee an, die beim Sieg über Deutschland **unabdingbar** war.

Winston Churchill war der britische Premierminister während des Zweiten Weltkriegs. Er gilt als einer der großen Köpfe der Zeitgeschichte. Er ist auch bekannt für seine berühmten Radioreden in den Jahren 1940 und 1941, welche die Moral der Engländer hoben.

Hideki Tojo war der japanische Premierminister und **Generalstabschef** während des Zweiten Weltkriegs. Er begann den Krieg im Pazifik und befahl den Angriff auf Pearl Harbor. Dies drängte die Vereinigten Staaten dazu, in den Krieg einzutreten und Truppen nach Europa und in den Pazifik zu entsenden.

Der Präsident der Vereinigten Staaten während des Zweiten Weltkriegs war **Franklin Roosevelt**. Ihm gelang es, die Moral und die Wirtschaft der Vereinigten Staaten nach der Weltwirtschaftskrise der 1930er Jahre wiederherzustellen und er **unternahm** Schritte, um die Waffenproduktion und Militarisierung in den USA zu steigern.

Wir können den größten bewaffneten Konflikt der Geschichte besser **nachvollziehen**, indem wir die Biografien dieser **Akteure** und ihre Entscheidungen während des Zweiten Weltkriegs kennen.

Vokabular

(der) Gründer founder
verfolgte (verfolgen) to persecute
(der) Schöpfer creator
ausdehnen to expand
(der) Stählerne man of steel
(der) Oberbefehlshaber supreme commander
unabdingbar essential, indispensable
(der) Generalstabschef chief of staff
unternahm (unternehmen) to undertake, to attempt
nachvollziehen to comprehend, to retrace
(die) Akteure participants

2.1. WER WAR BENITO MUSSOLINI UND WAS WAR DER ITALIENISCHE FASCHISMUS?

- *Mussolini wurde im Jahr 1883 geboren und starb 1945.*
- *Er war Gründer des italienischen Faschismus.*
- *Er war Vorsitzender der Italienischen Nationalistischen Partei und wurde Diktator von Italien.*

Benito Mussolini von Gala-az auf Depositphoto.com

Benito Mussolini war von 1922 bis 1943 Ministerpräsident von Italien. Er war der erste faschistische Diktator des 20. Jahrhunderts und wurde *Il Duce* bezeichnet, was auf Italienisch „der Anführer“ heißt.

PRIVATLEBEN

Mussolini wurde in eine arme Familie hineingeboren. Sein Vater war Schmied und linker Journalist, während seine Mutter Lehrerin war. Die Familie lebte in einem sehr kleinen Haus.

Laut einiger Historiker war Mussolini ein **ungehorsames** Kind. Er wurde von mehreren Schulen **verwiesen**, nachdem er Lehrer und Klassenkameraden **bedroht** hatte. Dennoch galt Mussolini als kluges Kind. Er machte ein gutes **Abitur** und erwarb das Diplom, das ihn zum Lehrer machte. Ihm wurde jedoch schnell klar, dass er nicht unterrichten wollte.

Im jungen Alter beschäftigte er sich gerne mit der Philosophie. Insbesondere deutsche Philosophen wie Marx und Nietzsche hatten es ihm angetan. Nach und nach widmete er sich dem politischen Journalismus mit sozialistischer Tendenz. Der Sozialismus ist eine Ideologie, welche die politische, soziale und wirtschaftliche **Gleichheit** der Menschen verteidigt und die **Bedürfnisse** der Gesellschaft über die von Einzelpersonen stellt.

Mussolini organisierte verschiedene Streiks und Proteste, um sozialistische und kommunistische Ideen zu unterstützen. Er folgte seinen politischen Überzeugungen und wurde in dieser Zeit elfmal von der Polizei festgenommen!

POLITISCHE KARRIERE

Im Jahr 1911 gründete er seine eigene sozialistische Zeitung *La Lotta di Classe* (Der Klassenkampf). Er wurde so beliebt, dass er nur ein Jahr später den Posten des **Herausgebers** der offiziellen sozialistischen Zeitung *Avanti!* (Vorwärts!) übernahm.

Mussolini änderte jedoch seine **Ansichten** in den folgenden Jahren. Er ließ seine sozialistischen Ideen hinter sich und begann, die italienische Teilnahme am Ersten Weltkrieg zu unterstützen. Aus diesem Grund wurde er gefeuert und aus der Italienischen Sozialistischen Partei **ausgeschlossen**. Im Jahr 1914 wird er Redakteur der Zeitschrift *Il Popolo d'Italia* (Das Volk Italiens), in der er die Sozialisten kritisiert.

Seine Ansichten beginnen sich zu ändern. Mussolini fängt an, den italienischen Nationalismus und die Verteidigung Italiens gegen die Deutschen, die Sozialisten und die Liberalen zu verteidigen. Dies gilt als der erste faschistische Schritt in Mussolinis politischer Karriere.

Im Ersten Weltkrieg war Mussolini Sargento der *Bersaglieri*[1] Sein Militärdienst während des Krieges und der Russischen Revolution **veranlasste** ihn, nach dem Krieg

---

[1] Italienisches Infanteriekorps, das sich mit dem Fahrrad fortbewegte.

in die Politik zu gehen. Darin sah er den einzig möglichen Weg, die Konflikte der Welt zu lösen.

Im Februar 1918 begann er, seine Ideen festzuhalten: Mussolini war der Meinung, dass Italien einen starken und charismatischen Führer brauche, um die politischen und wirtschaftlichen Probleme des Landes zu lösen.

Nur kurze Zeit später gab er an, dass er dieser Anführer sein könnte.

Bereits im Jahr 1919 bereitete er seinen Wahlkampf zum Ministerpräsidenten von Italien vor. Am 23. März 1919 organisierte er die faschistische Bewegung mit vierzig Mitgliedern. Mussolini schuf den Faschismus als politische und soziale Bewegung mit nationalistischen und totalitären Ideen.

Die Faschisten waren der Ansicht, dass die Regierung das Leben der Bürger von ihrer Kleidung bis zu den gezeigten Kinofilmen regulieren müsse. Aus diesem Grund gründete Mussolini das Filmstudio Cinecittà in Rom. Er gründete zudem die Ente Nazionale della Moda (Nationale Modeagentur), um zu verhindern, dass die französische Haute Couture nach Italien gelangte. Außerdem konnte er so entscheiden, welche Designer in Italien arbeiten durften.

Mussolinis faschistische Regierung hatte folgende Charakteristiken:

1. Extremer Nationalismus: Die Vorstellung, dass die eigene Nation allen anderen **überlegen** ist. Der italienische Nationalismus entstand zum Teil aus der Wirtschaftskrise und der sozialen Unzufriedenheit nach dem Ersten Weltkrieg.

2. Totalitäre Regierung: Der Totalitarismus ist ein politisches Regime, in dem der Staat die totale Kontrolle über alle Aspekte des Lebens der Bürger hat.

- Einpartei: Es gab keine Demokratie oder **Abstimmungen**. Es gab mit den Faschisten nur eine Partei.

3. Militärische Gewalt: Wer Mussolini nicht zustimmte, wurde gewaltsam verfolgt und bestraft.

Zunächst unterstützten viele Italiener Mussolinis Regierung. Der Erfolg des Faschismus in Italien hatte verschiedene Ursachen. Mussolini hatte Charisma und wusste durch seine Reden zu überzeugen. Außerdem durchlebte Italien eine schwere politische und wirtschaftliche Krise, die Mussolini zu lösen versprach.

In den Jahren 1919 und 1920 begannen Anhänger von Mussolinis faschistischen Ansichten, Sozialisten zu verfolgen und anzugreifen. Viele wurden gedemütigt, geschlagen und sogar getötet. Bis 1921 kontrollierten faschistische Bewegungen einen Großteil der italienischen Regierung. Im selben Jahr wurde Mussolini zum **Abgeordneten** gewählt.

DER FASCHISMUS IN ITALIEN

Im Sommer 1922 hatten die faschistischen Bewegungen die Gelegenheit, **die Macht zu ergreifen.** Die Faschisten waren mit der Reaktion der Regierung auf die sozialistischen Streiks nicht einverstanden. Damals wollten sie, dass die Regierung die Streiks beendet. Deshalb beschlossen sie, eine große Demonstration zu veranstalten und zum Regierungssitz zu marschieren. Dieser Protest hieß „Der Marsch auf Rom" und hatte das Ziel, **die Regierung zu stürzen**.

Der Marsch auf Rom war erfolgreich: Am 28. Oktober 1922 ernannte König Viktor Emanuel III. Mussolini zum Ministerpräsidenten Italiens. Dies ermöglichte Mussolini die **Errichtung** einer faschistischen Regierung Viele Italiener unterstützten Mussolinis Regierung, weil es so aussah, als könnte sie die wirtschaftliche und politische Krise des Landes lösen. Nicht wenige Menschen hatten genug von Streiks und Protesten und dachten, Mussolini könne Ordnung ins Chaos bringen.

Zu Beginn seiner Regierung gelang es Mussolini, Italien unter Kontrolle zu bringen, aber diese Kontrolle brachte auch die Unterdrückung der Bevölkerung mit sich. So **unterdrückte** Mussolini die übrigen politischen Parteien, beseitigte die Pressefreiheit und stellte seine Gegner vor Gericht. Außerdem baute er ein Netzwerk von Spionen und eine Geheimpolizei auf, um die Bürger im Auge zu behalten. Gleichzeitig ging er hart gegen Sozialisten, Liberale und die katholische Kirche vor.

Nach und nach wollte Mussolini Italien expandieren und ein Imperium schaffen. So befahl er im Jahr 1935 die Invasion von Äthiopien. Bei diesem äußerst gewalttätigen Angriff setzten die Italiener Gasbomben ein, um das äthiopische Volk zu besiegen.

Obwohl der Völkerbund Italien sanktionierte, blieben diese Strafen wirkungslos. Italien setzte seine Invasion in Afrika fort und unterstützte die faschistischen Kräfte Francisco Francos während des Spanischen Bürgerkriegs (1936-1939).

In den 1930er Jahren teilte Mussolini viele Ideen mit Adolf Hitler. In dieser Zeit unterstützten sich Deutschland und Italien gegenseitig mit Soldaten und Geld. Außerdem unterzeichneten sie den Stahlpakt, durch den Italien und Deutschland in jedem Krieg Verbündete sein würden.

Im Einklang mit den Vorstellungen der Nazis **erließ** Mussolini 1938 antisemitische Gesetze für das italienische Volk.

Mit diesen Gesetzen grenzte die italienische Regierung die Juden von der allgemeinen Bevölkerung ab. Der italienische Antisemitismus war nicht so radikal wie der deutsche. Dennoch wurden Juden in die Konzentrationslager in den deutsch besetzten Gebieten deportiert.

Zu Beginn des Zweiten Weltkriegs blieb Mussolinis Regierung neutral. Sobald Deutschland den Krieg zu gewinnen schien, erklärte Italien den Alliierten den Krieg.

Für Italien war der Zweite Weltkrieg nicht von Erfolg gekrönt. Im Jahr 1940 beschloss Mussolini, Griechenland anzugreifen, **scheiterte** jedoch dabei. Während der Invasion der Sowjetunion waren die italienischen Soldaten nicht auf den Winter vorbereitet und kamen in großen Zahlen ums Leben. Im Jahr 1943 zog sich Italien aus Nordafrika zurück, als die Briten die Schlacht von El Alamein gewannen. Im Juli 1943 nahmen die Alliierten Sizilien ohne große Schwierigkeiten ein.

Aufgrund dieser Niederlagen wusste Mussolini, dass sein Regime enden würde, sobald der Zweite Weltkrieg vorbei war. Während des Falls Siziliens im Jahr 1943 ordnete der Große Faschistische Rat die Verhaftung Mussolinis an und **enthob** ihn vom Posten des Premierministers.

Er wurde in einem Luxushotel in den italienischen Bergen eingesperrt und schließlich von deutschen SS-Offizieren gerettet und nach München geflogen. Er errichtete eine faschistische Regierung in Norditalien, von wo aus er versuchte, die Alliierten **aufzuhalten**. Die Alliierten rückten jedoch sehr schnell durch Italien vor.

Angesichts der drohenden Niederlage Deutschlands versuchte Mussolini 1945 als deutscher Soldat verkleidet über die Grenze zur Schweiz zu fliehen. Er wurde von einer Gruppe kommunistischer Guerillas erkannt. Am 28. April 1945 wurde er ermordet und auf dem Loreto-Platz in Mailand **aufgehängt**, wo eine große Menschenmenge den **Sturz** des faschistischen Diktators feierte.

Wusstest du schon?

Mussolini schrieb 1909 ein erotisches Buch. Es hieß The Cardinal's Mistress und spielte im 17. Jahrhundert. Das Buch wurde so beliebt, dass es in 10 Sprachen übersetzt wurde!

Vokabular

(der) Vorsitzende chairman
ungehorsam disobedience
verwiesen (verweisen) to expel
bedroht (bedrohen) to threaten
(das) Abitur graduation from high school
(die) Gleichheit equality
(die) Bedürfnisse needs
(die) Überzeugungen belief, persuasion, conviction
(der) Herausgeber editor, publisher
(die) Ansichten views, opinions
ausgeschlossen (ausschließen) to exclude
veranlasste (veranlassen) to give rise to, to prompt, to arrange
(der) Wahlkampf campaign
verhindern to prevent
überlegen superior
(die) Abstimmungen votes
(die) Abgeordneten representatives
die Macht zu ergreifen (die Macht ergreifen) to seize power
die Regierung zu stürzen (die Regierung stürzen) to overthrow the government
(die) Errichtung establishment, erection
unterdrückte (unterdrücken) to oppress
erließ (erlassen) to issue, to enact
scheiterte (scheitern) to fail
enthob (entheben) to remove
aufzuhalten (aufhalten) to stop
aufgehängt (aufhängen) to hang
(der) Sturz fall

2.2. WER WAR ADOLF HITLER UND WAS IST NATIONALSOZIALISMUS?

- *Hitler wurde im Jahr 1889 geboren und starb 1945.*
- *Deutscher Politiker, Führer der NSDAP und Diktator Deutschlands zwischen 1933 und 1945.*
- *Im Jahr 1939 löste er mit dem Überfall auf Polen den Zweiten Weltkrieg aus.*

Adolf Hitler war **Führer** der NSDAP, Reichskanzler und *Führer* Deutschlands. Hitler **begründete** den Nationalsozialismus. Dies ist eine politische Doktrin, die auf Nationalismus, Rassismus und Totalitarismus basiert. Der Nationalsozialismus war der Ansicht, dass das weiße deutsche Volk den anderen menschlichen „Rassen" in Europa und der Welt überlegen sei. Diese Ideologie führte im Zweiten Weltkrieg zu Millionen von Toten, wobei besonders die Juden verfolgt wurden.

Hitler wurde in Braunau am Inn in Österreich geboren. Sein Vater war ein **Zollbeamter** niedrigen Ranges. Hitler **verachtete** seinen Vater, liebte aber seine Mutter dafür umso mehr. Trotz seiner Intelligenz besuchte Hitler nie eine Universität. Nach dem Abitur reiste er nach Wien, um Künstler zu werden.

Hitler wollte Bildende Kunst studieren, fiel aber zweimal durch die **Aufnahmeprüfung**. Zu dieser Zeit war Hitler sehr einsam und **widmete sich** dem Malen von Postkarten, um **über die Runden zu kommen.**

HITLER UND DER ERSTE WELTKRIEG

Im Jahr 1913 zog Hitler nach München und anschließend nach Wien. Im Februar 1914 wurde er vom österreichischen Militär **abgelehnt**, weil er zu schwach war, um ein **Gewehr** zu halten. Als jedoch der Erste Weltkrieg ausbrach, durfte er in das 16. Bayerische Infanterieregiment eintreten.

Nach einer achtwöchigen Grundausbildung wurde Hitler im Oktober 1914 nach Frankreich und Belgien an die Westfront versetzt. Im Oktober 1916 wurde er bei einem Gasangriff verwundet und erblindete vorübergehend.

Für seine **Tapferkeit** im Kampf wurde Hitler das Eiserne Kreuz 2. Klasse (Dezember 1914) und das **Eiserne Kreuz** 1. Klasse (August 1918) verliehen. Sein Militärdienst während des Ersten Weltkriegs und der Russischen Revolution veranlasste Hitler, nach dem Krieg in die Politik zu gehen. Dies sah er als einzig möglichen Weg, um die Konflikte der Welt zu lösen.

Nach dem Ersten Weltkrieg begann Hitler seine politische Karriere in München. Hitler machte die Sozialisten, Juden und Kommunisten für die deutsche Niederlage verantwortlich.

Im Jahr 1919 war er Geheimagent der Militärbehörden in München, um andere Soldaten mit „gefährlichen Ideen" wie Pazifismus, Sozialismus und Demokratie auszuspionieren. Die deutsche Regierung wurde immer nationalistischer, was Hitler sehr begrüßte.

Im Jahr 1920 trat er von seinem Militärauftrag zurück und widmete sich der Propagandaleitung der Deutschen Arbeiterpartei, die sich in „Nationalsozialistische Deutsche Arbeiterpartei" (NSDAP) umbenannte. Jene Partei sollte später als die Nazi-Partei bekannt werden.

Die Nationalsozialisten betrachteten „reine" oder „wahre" Deutsche anderen europäischen Völkern überlegen. Sie hatten von Anfang an eine Organisation, die auf der militärischen Kontrolle ihrer Mitglieder basierte. Hitler triumphierte in der Partei und wurde im Juli 1921 ihr Führer. Dank seines Charismas und seiner **unerschütterlichen** Führung wurde die NSDAP neu organisiert und gewann viele weitere Mitglieder.

Aufgrund des schnellen Wachstums der NSDAP planten einige Parteimitglieder einen Putsch gegen die Republik Bayern. Sie manipulierten die bayerische Regierung und ihre regionale Armee, um die Berliner Staatsregierung zu stürzen. Diese „Revolution" war jedoch ein Fiasko, da sie in einem **Schusswechsel** endete und mehrere Mitglieder der NSDAP **verhaftet** wurden, auch Adolf Hitler selbst.

Nach diesem Vorfall wurde Hitler wegen Hochverrats angeklagt. Er verbrachte neun Monate im Gefängnis, wo er sein Buch *„Mein Kampf"* schrieb. Die Verhaftung und der

Prozess waren eine hervorragende Propaganda für Hitler und seine NSDAP.

DER AUFSTIEG ZUR MACHT

Durch die 1929 einsetzende Weltwirtschaftskrise fanden Hitlers nationalistische Ideen viele **Anhänger**. Vor allem die Ober- und Mittelschicht unterstützte die NSDAP, weil Hitler wirtschaftliche Verbesserungen in Deutschland und die **Beseitigung** des Kommunismus versprach.

Im Jahr 1930 war die NSDAP bereits die zweitgrößte politische Partei Deutschlands. Zwei Jahre später kandidierte Hitler für das Präsidentenamt. Obwohl er verlor, demonstrierte er seine politische Macht, indem er 37 Prozent der Stimmen erhielt. Im Januar 1933 **übertrug** Hindenburg (der als Gewinner aus der Reichspräsidentenwahl hervorging) Adolf Hitler das Amt des Reichskanzlers. Dies war die zweitwichtigste Position im Deutschland der Weimarer Republik. Nach Hindenburgs Tod übernahm Hitler den Posten als Reichspräsident und hatte zudem die Kanzlerschaft inne. Von diesem Moment an errichtete er eine diktatorische Regierung nach den Ideen des Nationalsozialismus.

Der deutsche Nationalsozialismus hatte viele ähnliche Merkmale wie der italienische Faschismus. Es gab jedoch einige Unterschiede:

1. Ultranationalistisch, antikommunistisch und totalitär: Obwohl der italienische Faschismus auch totalitär war, kontrollierte der Nationalsozialismus seine Bürger noch mehr. Jeder Aspekt des Lebens wurde zumeist mit Anwendung von Gewalt geregelt. In Hitlers Regierung konzentrierte der Führer die politische und wirtschaftliche Macht.

2. Politik des Terrors: Die Polizeibehörde Gestapo wurde gegründet, um die Bevölkerung zu **überwachen** und zu unterdrücken.

3. Rassismus: Die NSDAP schürte Hass gegen die Juden, denen **vorgeworfen** wurde, alles Böse **hervorgebracht** zu haben. Zunächst verloren die Juden ihre Bürgerrechte. Dann wurde ihr Eigentum **beschlagnahmt** und schließlich wurden sie in Vernichtungslager gebracht. Auch Katholiken, **Zigeuner**, Farbige, Homosexuelle und Behinderte wurden verfolgt und getötet.

4. Intensive politische Propaganda: Propaganda und das Kino wurden genutzt, um die NS-Ideologie in der deutschen Bevölkerung und in der Welt zu verbreiten. Der Nationalsozialismus kontrollierte auch kulturelle Produktionen und die Medien.

5. Expansionismus: Hitler förderte die Idee des ***Lebensraums***, mit dem er die **Notwendigkeit** verteidigte, die Grenzen Deutschlands zu erweitern und das deutsche Volk zu schützen.

Hitlers diktatorisches Regime wurde sehr beliebt, weil sich zunächst die Wirtschaft verbesserte: Die Arbeitslosigkeit sank und die Löhne stiegen. Aus diesem Grund stimmten 90 % der Bevölkerung der NS-Politik zu.

Hitler interessierte sich jedoch mehr für die Außenpolitik, da er der Meinung war, dass die territoriale Expansion Deutschlands das wirtschaftliche und soziale Wohlergehen der Bevölkerung sichern würde. Sein Ziel war es, das Staatsgebiet Polens, der Ukraine und einen Teil der Sowjetunion zu erobern. Um seinen Plan auszuführen, musste Hitler jedoch gegen den Vertrag von Versailles verstoßen. Deshalb verließ Deutschland den Völkerbund, bildete eine Armee aus und verbündete sich mit Italien und Japan. Im Jahr 1936 unterzeichnete Hitler einen Pakt mit Mussolini und wenig später den Antikominternpakt mit Japan.

DER ZWEITE WELTKRIEG

Ab 1937 begann Deutschland, seine Nachbarländer zu überfallen. Deutschland marschierte im Februar 1937 in Österreich und im Jahr 1939 in die Tschechoslowakei ein. Anschließend überfiel Hitler Polen, aber das Land hatte einen Pakt mit Frankreich und Großbritannien geschlossen, die Polen ihre militärische Unterstützung im Falle einer deutschen Invasion garantierten.

Im September 1939 befahl Hitler dennoch den Überfall auf Polen. Zwei Tage später erklärten Frankreich und

Großbritannien Deutschland den Krieg. Der Zweite Weltkrieg hatte begonnen.

Zu Beginn des Zweiten Weltkriegs erzielte Hitler mehrere militärische Erfolge. Zwischen April und Juni 1940 marschierte die deutsche Wehrmacht in Dänemark, Norwegen, Luxemburg, den Niederlanden, Belgien und Frankreich ein. Da er in sehr kurzer Zeit erfolgreich viele Invasionen in ganz Westeuropa durchführte, dachte Hitler, dass Großbritannien **kapitulieren** würde. Großbritannien gab jedoch nicht auf.

Deshalb griff die Luftwaffe britische Luftwaffenstützpunkte und Städte an. Im Jahr 1941 griff Hitler zudem die Sowjetunion an. Obwohl er zunächst schnell vorankam, traf der Winter die deutschen Truppen sehr hart. Im Dezember desselben Jahres trafen deutsche Truppen in der russischen Hauptstadt Moskau ein. Die Rote Armee verteidigte Moskau gut und die geschwächten deutschen Truppen konnten nicht weiter vordringen.

Mit dem Kriegseintritt der Vereinigten Staaten im Jahr 1942 verlor Deutschland wegen der **zahlenmäßigen Überlegenheit** der Vereinigten Staaten und der Sowjetunion immer mehr gewonnene Gebiete.

Nach den Niederlagen auf sowjetischem Gebiet und in Nordafrika versteckte sich Hitler in seinem Führerhauptquartier, der Wolfsschanze. Obwohl er sich versteckte, führte Hitler die deutschen Truppen weiter an. Im Jahr 1943 befahl er die **Rettung** von Mussolini, als dieser in Italien verhaftet wurde.

Als klar war, dass Deutschland den Krieg verlieren würde, wollten einige deutsche Militärangehörige Hitler stürzen und ein Friedensabkommen unterzeichnen. Daher gab es zwischen 1943 und 1944 mehrere Attentatspläne, die jedoch alle erfolglos blieben.

Im Januar 1945 war Hitler in Berlin von sowjetischen Truppen umzingelt. Er sah keinen Ausweg vor einer drohenden Niederlage und bereitete seinen **Selbstmord** vor.

Hitler erkannte die Niederlage an und beschloss, einige Maßnahmen zu treffen. Er heiratete am 28. April Eva Braun und schrieb kurze Zeit später ein Dokument, in dem er die Gründe für sein Handeln erklärte. Gleichzeitig übergab er seine Macht an andere Parteimitglieder. Laut verschiedenen Historikern schoss sich Hitler schließlich am 30. April in den Kopf, während sich seine Frau **vergiftete**. Niemand hat je ihre **Leichen** gefunden.

Wusstest du schon?

Obwohl lange Zeit angenommen wurde, dass Adolf Hitler an einer Persönlichkeitsstörung litt, ist dies nicht der Fall! Mehrere Psychologen, die ihn studiert haben, sehen ihn weder als Soziopath noch als Psychopath. In seinem letzten Lebensjahr litt er jedoch an Parkinson, war Hypochonder und nahm lange Zeit viele Medikamente ein.

Vokabular

begründete (begründen) to justify, to establish
(der) Zollbeamte cutoms officer
verachtete (verachten) to despise
(die) Aufnahmeprüfung entrance exam
widmete sich (sich widmen) to devote oneself
über die Runden zu kommen (über die Runden kommen) to get by
abgelehnt (ablehnen) to reject, to decline
(das) Gewehr rifle, gun
(die) Tapferkeit bravery
(das) Eiserne Kreuz Iron Cross
unerschütterlich unshakeable, unwavering
(der) Schusswechsel gunfight
verhaftet (verhaften) to arrest
(der) Hochverrat high treason
(der) Aufstieg rise
(die) Macht power
(der) Anhänger follower
(die) Beseitigung elimination, removal
übertrug (übertragen) to transfer
überwachen to monitor, to supervise
vorgeworfen (vorwerfen) to accuse, to reproach
hervorgebracht (hervorbringen) to bring forth, to yield
beschlagnahmt (beschlagnahmen) to confiscate
(die) Zigeuner gipsy
(der) Lebensraum habitat, living space
(die) Notwendigkeit necessity
kapitulieren to surrender
(die) zahlenmäßige Überlegenheit numerical superiority
(die) Rettung rescue
(der) Selbstmord suicide
vergiftete (vergiften) to poison
(die) Leichen corpses

2.3. WER WAR STALIN UND WARUM WURDE ER SO GENANNT?

- *Stalin wurde im Jahr 1878 geboren und starb im Jahr 1953.*
- *Er war ein sowjetischer Politiker, Nachfolger von Lenin und Führer der Sowjetunion von 1924 bis 1953.*
- *Er vertrieb seine größten Rivalen aus der von der Kommunistischen Partei der Sowjetunion kontrollierten UdSSR.*

Joseph Stalin, ein Porträt von xdrew73 auf Depositphoto.com

Stalin war Generalsekretär der Kommunistischen Partei der Sowjetunion und Präsident der UdSSR. In seiner fast 25-jährigen Diktatur **verwandelte** er die Sowjetunion in eine der Weltmächte. Sein russischer Name war Iosseb Bessarionis dse Dschughaschwili. Sein **Spitzname** Stalin bedeutet auf Russisch „**der Stählerne**".

Während seiner Regierungszeit gab es in Russland einen Stalin-Kult. Das bedeutet in diesem Fall die **Huldigung** und der Respekt vor einem **göttlichen Wesen**. Damals sahen viele Bürger Stalin als **mächtigen** Helden. Stalins Beliebtheit zeigt sich deutlich in der großen Anzahl von **Büsten** und Statuen, die er ihm **zu Ehren** in ganz Russland anfertigen ließ.

Stalin wurde im georgischen Gori geboren und nicht in Russland. Zu Hause sprach er Georgisch, lernte aber in der Schule Russisch. Er war Sohn eines Schuhmachers. Im Jahr 1898 wurde er **Mitglied** der Russischen Sozialdemokratischen Arbeiterpartei. Obwohl Stalins Mutter ihren Sohn als **zukünftigen** Priester sah, hatte er andere Pläne.

DER BEGINN SEINER POLITISCHEN KARRIERE

Stalin trat in das orthodoxe **Priesterseminar** in Tiflis ein, wo er die Texte von Karl Marx über sozialistische und kommunistische Ideen las. Er wurde aus dem Seminar geworfen, weil er marxistische Propaganda verbreitet hatte.

Seitdem widmete er sich seinem **Dasein** als revolutionärer Politiker. Im Jahr 1903 schloss sich Stalin als einer von Lenins Schülern der bolschewistischen Bewegung an. Der Bolschewismus war das politische System in Russland seit der Revolution von 1917 und basierte auf den sozialistischen und kommunistischen Ideen von Marx und Lenin.

Innerhalb der Partei stieg Stalin allmählich auf. Im Jahr 1912 war er bereits Mitglied des ersten Zentralkomitees der Bolschewistischen Partei. Er schrieb mehrere Artikel über die Situation, in der sich sein Russland seiner Meinung nach befand. Außerdem war er Herausgeber der *Prawda*, einer neuen revolutionären Zeitung. Von diesem Moment an nahm er den Namen Stalin an.

Im Russischen Bürgerkrieg **bekleidete** er zwischen 1918 und 1920 verschiedene **politische Ämter**: Kommissar für Nationalitäten und Kommissar für Staatskontrolle. Seine Position als Generalsekretär der Partei gab ihm jedoch die Macht, seine Diktatur zu errichten.

LENINS TOD UND STALINS MACHTERGREIFUNG

Lenin war das Paradebeispiel und Idol für Stalin, in dessen Fußstapfen er treten wollte. Bereits im Jahr 1922 war Stalin sehr einflussreich, aber sein Aufstieg zur Macht **beschleunigte** sich umso mehr wenige Wochen nach seiner **Ernennung** zum Generalsekretär der Partei, als

Lenin einen **Herzinfarkt** erlitt.

Lenin erholte sich nach seinem Herzinfarkt nie vollständig. Obwohl er zwischen August 1922 und dem Frühjahr 1923 wieder Parteivorsitzender wurde, fühlte er sich sehr schwach und begann, Stalin immer mehr Arbeit zu überlassen.

Im Oktober 1922 drückte Lenin seine volle Unterstützung für Stalin als Generalsekretär aus. Als er jedoch von den gewalttätigen Ereignissen erfuhr, die auf Stalins Befehl in Georgien stattfanden, verlor er viel Vertrauen in ihn.

Im Frühjahr 1923 verfasste Lenin sein Testament. Er vertraute Stalin längst nicht mehr so wie früher und kritisierte seine Taten sehr.

Im Jahr 1923 und noch vor Lenins Tod gab es vier einflussreiche Personen in der Partei: Trotzki, Kamenew, Sinowjew und Stalin. Nach Lenins Tod im Jahr 1924 bildeten Stalin, Kamenew und Sinowjew ein Bündnis gegen Trotzki, die *Troika*. Einige Parteimitglieder waren der Ansicht, Trotzki müsse wegen seiner radikalen Ideen und seiner Kritik an Stalins Entscheidungen aus der Partei ausgeschlossen werden. Auch Stalin gefielen Trotzkis **Äußerungen** nicht, aber er war zunächst gegen seinen **Rauswurf**.

Stalin hatte jedoch die **Befürchtung**, dass Trotzki die Macht übernehmen würde, was seine Meinung änderte. Er wandte sich gegen ihn. Gleichzeitig **löste** sich die *Troika* **auf** und Stalin fand andere Verbündete.

Im Jahr 1926 gab es in der Partei zwei ideologische **Strömungen**: die der Anhänger Stalins und die der Anhänger von Trotzki, Sinowjew und Kamenew. Diese Strömung war als „Vereinigte Opposition“ bekannt und forderte mehr **Meinungsfreiheit** und weniger Bürokratie innerhalb der Partei.

Bereits im Jahr 1927 hörte Stalin auf, die „Vereinigte Opposition“ zu unterstützen. Im Oktober desselben Jahres warf er Trotzki und Sinowjew aus der Partei. Im Dezember folgte auch der Ausschluss von Kamenew. Somit blieb Stalin der oberste Führer der Kommunistischen Partei der Sowjetunion.

Im Jahr 1929 wurde Trotzki aus der Sowjetunion vertrieben. Stalin ließ ihn im Jahr 1940 ermorden.

DER STALINISMUS IN DER SOWJETUNION

Nach Lenins Tod schuf Stalin einen Kult um den ehemaligen Führer. Gleichzeitig unterstützte er den Kult seiner Person, um seine Führungsansprüche zu untermauern.

Im Jahr 1928 initiierte Stalin einen 5-Jahres-Plan zur Entwicklung der Industrie und Wirtschaft der Sowjetunion. Dieser Plan zwang mehr als 25 Millionen ländliche Haushalte, sich zu vereinen und in staatlich produzierende Kolchosen zu verwandeln. Die russische Geheimpolizei verfolgte, verbannte und tötete jene Bauern, die sich weigerten, an diesem Prozess teilzunehmen. Dies löste eine große **Hungersnot** in der Sowjetunion und insbesondere in der Ukraine aus. Damals **verhungerten** etwa 10 Millionen russische Bauern.

Ab 1934 begann Stalin, die Kommunistische Partei von Leuten zu **„säubern“**, die er als **„Verräter“** betrachtete. Damals wurde jedes verdächtige Mitglied, das mit Stalins Ansichten nicht einverstanden zu sein schien, vor Gericht gestellt und zum Tode **verurteilt**. Oft verfolgte er Soldaten, Künstler, politische Anführer, Regierungsbeamte, Parteiführer und Lehrer. Es starben **schätzungsweise** mehr als 12 Millionen Menschen bei dieser Säuberung, die Stalin noch mehr politische Macht verlieh.

DER ZWEITE WELTKRIEG UND DIE SOWJETUNION

Der Zweite Weltkrieg stärkte Stalins Diktatur in der Sowjetunion. Er unterzeichnete im August 1939 zunächst einen Nichtangriffspakt mit Hitler. Dies ermöglichte es Deutschland, in Polen einzumarschieren. Deutschland und die Sowjetunion teilten sich das polnische Staatsgebiet untereinander auf.

Auf diese Weise verschob Stalin die Grenze der Sowjetunion nach Westen und inkorporierte das östliche Polen, Estland, Litauen und einen Teil Rumäniens in die UdSSR. Außerdem griff Stalin Finnland an und besetzte einen Teil des Landes. Trotz des Nichtangriffspaktes mit der Sowjetunion beschloss Hitler, die UdSSR anzugreifen und zu überfallen. Aufgrund dieser Aggression schloss sich die Sowjetunion den Alliierten an.

Im Mai 1941 ernannte sich Stalin zum Vorsitzenden des Rates der Volkskommissare. Mit dieser Position konnte er das Land während des restlichen Zweiten Weltkriegs alleine führen.

Zu Beginn des Krieges beschloss Stalin, die gesamte Bevölkerung in die großen Industriestädte (Stalingrad, Leningrad und Moskau) zu evakuieren und die Deutschen **vorrücken** zu lassen, ihnen jedoch keine Ressourcen, Nahrung oder Bevölkerung für den Winter anzubieten. Die Verteidigung der Sowjetunion war hoffnungslos **unterlegen**. Aus diesem Grund drangen die Deutschen schnell und tief in die Sowjetunion.

Zu dieser Zeit war die Rote Armee (die offizielle sowjetische Armee) wegen Stalins Säuberungen nicht stark genug. Als er die Rote Armee jedoch direkt anführte, verbesserte sich die sowjetische Offensive.

Im Winter 1941 traf die deutsche Wehrmacht in Moskau ein. Dort war Stalin mit seiner Verteidigungs- und Angriffsstrategie erfolgreich. Stalin übernahm auch das Kommando über die Schlacht von Stalingrad, die im Winter 1942 stattfand, und die Schlacht von Kursk, die im Sommer 1943 stattfand. Beide waren militärisch sehr erfolgreich. Nach diesen Gegenangriffen traf die von Stalin kommandierte Rote Armee im Mai 1945 in Deutschland ein, um die Nazis ein für alle Mal zu besiegen.

Stalin nahm während des Zweiten Weltkriegs auch an wichtigen Konferenzen teil, bei denen auch Winston Churchill und Franklin Roosevelt **beteiligt** waren.

NACH DEM ZWEITEN WELTKRIEG

Die Sowjetunion und Stalin gingen gestärkt aus dem Zweiten Weltkrieg hervor. Trotz der Unabhängigkeit der osteuropäischen Länder, wusste Stalin ihre Regierungen zu führen, sodass die Sowjetunion insgesamt um fast 100 Millionen Menschen wuchs.

In seinen letzten Lebensjahren wurde Stalin paranoid und sah überall Feinde. In allen Ländern der Sowjetunion wurden „Säuberungen" durchgeführt. Diese bestanden aus Prozessen und **Hinrichtungen** von Personen, die Stalin bedrohten oder gegen ihn rebellierten.

Die Sowjetunion brach nach dem Ende des Zweiten Weltkriegs die Beziehungen zu Großbritannien und den Vereinigten Staaten ab. Außerdem **hielt** Stalin kritische Künstler und Intellektuelle **in Schach**.

Im Januar 1953 befahl Stalin die Verhaftung zahlreicher im Kreml tätigen Ärzte. Er **beschuldigte** sie, mehrere sowjetische Führer durch die **Verabreichung** falscher Medikamente ermordet zu haben, was der perfekte **Vorwand** war, um eine neue Säuberung unter den sowjetischen Führern zu beginnen, die sich gegen Stalin stellten. Stalin verstarb wenig später im März 1953. Einige

Historiker gehen von Mord aus, obwohl er offiziell an einer **Gehirnblutung** starb.

Trotz seiner brutalen Methoden gelang es Stalin, die Wirtschaft und die Armee der Sowjetunion aufzubauen und die Sowjetunion zur zweiten Großmacht nach den Vereinigten Staaten von Amerika zu machen.

Wusstest du schon?

Aufgrund seiner sozialistischen Tendenzen rekrutierte die Rote Armee sowohl Männer als auch Frauen. Fast eine Million sowjetische Frauen kämpften im Krieg als Pilotinnen, Soldatinnen und Scharfschützen. Eine der von den Deutschen am meisten gefürchteten sowjetischen Divisionen waren die „Nachthexen". Dabei handelte es sich um eine von Frauen geführte Flugzeugstaffel.

Vokabular

verwandelte (verwandeln) to transform
(der) Spitzname nick name
(die) Huldigung homage, tribute
(das) göttliche Wesen divine being
(die) Büsten busts
zu Ehren in honor of
(das) Mitglied member
zukünftig prospective, future
(das) Priesterseminar seminary
(das) Dasein existence
bekleidete (bekleiden) to hold an office
(die) politischen Ämter political offices
(die) Machtergreifung seizure of power
beschleunigte (beschleunigen) to accelerate, to speed up

(die) Ernennung appointment
(der) Herzinfarkt heart attack
(die) Äußerungen statements, remarks
(der) Rauswurf expulsion
(die) Befürchtung fear, apprehension
löste auf (auflösen) to dissolve, to resolve
(die) Strömungen trends, currents
(die) Meinungsfreiheit freedom of speech
(die) Hungersnot famine
verhungerten (verhungern) to starve to death
säubern to cleanse, to purge
(der) Verräter traitor
verurteilt (verurteilen) to sentence
schätzungsweise estimated
vorrücken to advance, to move forward
unterlegen inferior
beteiligt (beteiligen) to participate
(die) Hinrichtungen executions
hielt in Schach (in Schach halten) to keep in check
beschuldigte (beschuldigen) to accuse
(die) Verabreichung administering
(der) Vorwand pretext, excuse
(die) Gehirnblutung cerebral hemorrhage
(die) Scharfschützen snipers
(die) Flugzeugstaffel aircraft squadron

2.4. WER WAR WINSTON CHURCHILL UND WARUM GILT ER ALS HERAUSRAGENDER PREMIERMINISTER?

- *Winston Churchill wurde im Jahr 1874 geboren und starb 1965.*
- *Er war Premierminister von Großbritannien und Kriegsminister während des Zweiten Weltkriegs.*
- *Seine Reden und seine Führungsqualitäten hielten die Moral des britischen Volkes aufrecht.*

Sir Winston Leonard Spencer Churchill, besser bekannt als Winston Churchill, war während des Zweiten Weltkriegs Premierminister von England. Einen Großteil seines Lebens widmete er sich der Politik, aber er schrieb auch Essays und Romane.

Churchills Familie hatte Erfahrung in der Politik. Sein Vater war Lord Randolph Churchill, ein konservativer Politiker des *One-Nation Conservatism*, auch bekannt als *Tory-Demokratie*. Diese Ideologie verteidigte das **Bündnis** zwischen den politischen Führern und der Arbeiterklasse und sah darin eine Beziehung zwischen Vätern und Söhnen.

Sowohl sein Vater als auch er selbst waren direkte Nachkommen des 1. Herzogs von Marlborough, der im frühen 18. Jahrhundert als Held im Krieg gegen Ludwig XIV. von Frankreich gefeiert wurde.

Churchills Vater **ermutigte** ihn, Karriere beim Militär zu machen. Bei der Aufnahmeprüfung des Royal Military College fiel er zweimal durch, schaffte es aber beim dritten Versuch. Im Jahr 1895 starb sein Vater und Churchill trat dem Vierten *Husarenregiment*[1] bei.

Churchill arbeitete zunächst als Soldat und Journalist auf Kuba, in Indien und im südlichen Afrika. Durch seine Kriegsberichte wurde Winston Churchill als Schriftsteller bekannt. Nach seinem **Feldzug** im südlichen Afrika wurde er gefangen genommen, konnte jedoch aus dem Gefängnis fliehen und wurde als Kriegsheld gefeiert.

Angesichts dieser Ehre kandidierte Churchill im Jahr 1900 für das Parlament und gewann einen Sitz.

DIE ANFÄNGE SEINES POLITISCHEN LEBENS

Obwohl er seine Karriere bei den Konservativen begann, wechselte er 1904 zu den Liberalen. Churchill wechselte die Partei, weil er gegen den **Vorschlag** einer Erhöhung des Armeebudgets war. Er wollte auch nicht, dass die englischen

[2] Eine britische Division, die auf Pferden kämpfte

Kolonien die von den Konservativen vorgeschlagenen Steuern zahlen mussten.

Bei den Parlamentswahlen von 1906 errang Churchill einen großen Sieg in Manchester und begann seine Karriere als Unterstaatssekretär für die Kolonien. Er erlangte in kurzer Zeit Ansehen für seine großartige Arbeit bei der Lösung der Probleme der Regierungen Südafrikas.

Im Jahr 1908 wurde Churchill Präsident des Board of Trade und erhielt damit eine Position im Kabinett. Während dieser Zeit setzte sich Churchill für verschiedene Arbeitsreformen für britische Arbeiter ein.

Bis zum Jahr 1910 war Churchill politisch sehr erfolgreich und wurde zum Vorsitzenden des Board of the Interior ernannt. Seine Aufgabe war die Aufrechterhaltung der öffentlichen Ordnung in Großbritannien und die Durchführung von Reformen im Gefängnissystem.

Im Oktober 1911 wurde er als Admiral in die britische Armee **versetzt** und schuf eine Naval War Administration. Trotz seiner Erfahrung blieben die Mobilisierungen der britischen Marine im Ersten Weltkrieg erfolglos. Seine Misserfolge im Ersten Weltkrieg führten dazu, dass er im Jahr 1915 seine anderen Ämter **niederlegte**.

Von diesem Moment an und bis zum Ende des Ersten Weltkriegs hatte Churchill verschiedene militärische Positionen inne. Nach dem Krieg bekleidete Churchill den Posten des Kriegsministers.

PREMIERMINISTER VON ENGLAND WÄHREND DES ZWEITEN WELTKRIEGS

In den letzten zehn Jahren der Zwischenkriegszeit warnte Churchill davor, dass Hitler eine Bedrohung für ganz Europa sei. Als besonders gefährlich empfand er die deutsche Luftwaffe, die Hitler hatte schaffen lassen und die mit der Royal Air Force mithalten konnte. Als Hitler begann, Länder wie Österreich und die Tschechoslowakei zu überfallen, sah Churchill sich in seinem **Verdacht** bestätigt. Großbritannien erklärte Deutschland aber erst dann den Krieg, als Hitler in Polen einmarschierte. Am selben Tag stellte Churchill seine frühere Position als Admiral der britischen Armee wieder her.

Am 11. Mai 1940 trat der bis dahin tätige Premierminister Chamberlain zurück und wurde durch Winston Churchill ersetzt. Dies war eine Zeit, in der die Alliierten den Krieg zu verlieren schienen. Churchill wurde zudem Verteidigungsminister, und seine Hauptaufgabe bestand darin, den Krieg zugunsten Großbritanniens zu gewinnen.

Während des Zweiten Weltkriegs tat er sein Bestes, um eine gemeinsame Front der Alliierten gegen Deutschland, Italien und Japan zu schaffen. Im Juni 1940 fand die Luftschlacht um England statt, in der Churchill das Kommando hatte. In den Jahren 1940 und 1941 hielt er mehrere Reden im Radio, um die Moral des britischen Volkes zu heben.

Churchills Reden sind noch heute in Erinnerung. Eine der berühmtesten war jene vom 13. Mai 1940 vor dem **Unterhaus**, in der er Folgendes von sich gab:

„Sie fragen: Was ist unser Ziel? Ich kann es Ihnen in einem Wort nennen: Sieg - ***Sieg*** *um jeden Preis, Sieg trotz allem Schrecken, Sieg, wie lang und beschwerlich der Weg dahin auch sein mag, denn ohne Sieg gibt es kein* ***Überleben****."*

Im Jahr 1941 organisierte Churchill das Bündnis zwischen Großbritannien, den Vereinigten Staaten und der Sowjetunion gegen die Achsenmächte. Als der Zweite Weltkrieg endete, fanden im Jahr 1945 **vorgezogene** Parlamentswahlen statt. Trotz seiner Beliebtheit verlor Churchill gegen die Labour Party, die sich für bessere wirtschaftliche und soziale Reformen einsetzte.

Trotz alledem feierte das britische Volk Churchills militärische Erfolge im Zweiten Weltkrieg.

Bei der nächsten Parlamentswahl im Jahr 1951 gewann Churchill und kehrte zum zweiten Mal auf den Posten des britischen Premierministers zurück. Allerdings war Churchill zu dieser Zeit bereits im fortgeschrittenen Alter und seine **Anliegen** passten nicht zur neuen Weltordnung, wodurch er während seiner Amtszeit viel Kritik erhielt. Im Jahr 1955 zog sich Churchill nach einem **Schlaganfall** und einer halbseitigen **Lähmung** mit 80 Jahren aus dem Amt zurück. Im Januar 1965 starb Winston Churchill im Alter von 90 Jahren. Auf der ganzen Welt fanden große Feierlichkeiten zu seinen Ehren statt.

Wusstest du schon?

Winston Churchill erhielt im Jahr 1953 den Nobelpreis für Literatur für seine Romane, Geschichtsbücher und Chroniken.

Vokabular

(das) Bündnis alliance
ermutigte (ermutigen) to encourage
(der) Feldzug campaign
(der) Vorschlag proposal, suggestion
versetzt (versetzen) to transfer
niederlegte (niederlegen) to put down, to lay down
(der) Verdacht suspicion
(das) Unterhaus House of Commons
(der) Sieg victory
(das) Überleben survivial
vorgezogen (vorziehen) to bring forward
(das) Anliegen issue, request
(der) Schlaganfall stroke
(die) Lähmung paralysis

2.5. WER WAR ERA HIDEKI TOJO UND WIE BEGANN DER PAZIFIKKRIEG?

- *Hideki Tojo wurde im Jahr 1884 geboren und starb 1948.*
- *Zwischen 1941 und 1944 war er japanischer Premierminister.*
- *Er ordnete den Angriff auf Pearl Harbor an..*

Hideki Tojo war in den Jahren 1940 und 1941 japanischer Kriegsminister. Im Oktober 1941 wurde er zum japanischen Premierminister ernannt.

Tojo war einer der Führer der imperialistischen Expansion Japans in den Pazifik und nach Südostasien. Er **verteidigte** und plante zudem die Invasion Chinas und den Angriff auf Pearl Harbor. Aus diesem Grund war Tojo während des Zweiten Weltkriegs eine der wichtigsten Figuren im Pazifikkrieg.

Hideki Tojo wurde im Dezember 1884 in Tokio geboren. Er war der Sohn von General Eikyo Tojo, einem Helden des Russisch-Japanischen Krieges. Im Jahr 1908 machte er seinen **Abschluss** an der Kaiserlichen Militärakademie Japans und diente nach dem Ersten Weltkrieg als Soldat in der Berliner **Botschaft**. Im Jahr 1928 wurde er Kommandant des ersten Infanterieregiments. 1937 wurde er während der Invasion der Mandschurei (Nordostchina) zum Chef der Kwatung-Armee ernannt.

In beiden Rollen war Tojo ein ausgezeichneter Stratege und Feldkommandant, was ihn beim japanischen Militär beliebt machte. Im selben Jahr kehrte er nach Japan zurück und bekleidete das Amt des stellvertretenden Kriegsministers.

TOJO WÄHREND DES ZWEITEN WELTKRIEGS

Hideki Tojo war einer der Militärs, die im Jahr 1940 kurz nach dem Beginn des Zweiten Weltkriegs den Pakt zwischen Japan, Deutschland und Italien unterstützten. Im Juli 1940 wurde er unter Premierminister Konoe Fumimaro zum Kriegsminister **ernannt**. Ein Jahr später, am 18. Oktober 1941, **ersetzte** Tojo ihn als Premierminister von Japan. Während seiner Amtszeit war er bis 1943 auch Minister für Handel und Industrie.

Während des Zweiten Weltkriegs war Tojo einer der aggressivsten Militärführer. Er ordnete den Luftangriff auf die US-Militärbasis Pearl Harbor an, der die Vereinigten Staaten von Amerika zum Eintritt in den Zweiten Weltkrieg veranlasste. Darüber hinaus befehligte er erfolgreiche Angriffe in ganz Südwestasien und im Pazifik.

Die zahlreichen Siege waren nur von kurzer Dauer, da die Alliierten Japan bald im Pazifik zurückdrängten. Um den

Vormarsch der Alliierten einzudämmen, übernahm Tojo im Februar 1943 die vollständige Macht, obwohl es ihm nicht gelang, die Eroberung Saipans durch US-Truppen im Jahr 1944 zu stoppen. Es gelang ihm auch nicht, Luftangriffe auf Städte in Südjapan zu verhindern oder den Vormarsch der Alliierten im Pazifik zu **verzögern**. Dies veranlasste Tojo am 16. Juli 1944 zum Rücktritt. Nach seinem Rücktritt trat Tojo in die Reserve der japanischen Armee ein und war für den Rest des Zweiten Weltkriegs nicht bewilligt, bewaffnete Gruppen zu kommandieren.

Am 11. September 1945 unternahm Tojo nach der Kapitulation Japans einen Selbstmordversuch, wurde jedoch während der amerikanischen Besetzung Japans von Ärzten **wiederbelebt**. Bei den Prozessen in Tokio wurde er vor Gericht gestellt und im Gefängnis untergebracht. Während dieser Prozesse gab Hideki Tojo zu, den Krieg im Pazifik begonnen zu haben, bestritt jedoch, **Kriegsverbrechen** begangen zu haben. Trotzdem wurde er der Begehung von Kriegsverbrechen für schuldig befunden und zum Tode verurteilt. Er wurde am 23. Dezember 1948 gehängt.

Wusstest du schon?

Hiroo Onoda (ein japanischer Soldat des Geheimdiensts auf den Philippinen) ergab sich 29 Jahre nach dem Ende des Zweiten Weltkriegs im Jahr 1974. Onoda und seine Gruppe isolierten sich im philippinischen Dschungel und glaubten den Nachrichten über das Kriegsende nicht, obwohl selbst das japanische Militär sie mit Lautsprechern aufforderte, sich zu ergeben und das Land zu verlassen. Onoda harrte weiter aus. Erst als sein pensionierter Kommandant zu den Philippinen flog, ließ er sich schließlich überzeugen.

Vokabular

verteidigte (verteidigen) to defend
(der) Abschluss conclusion, completion
(die) Botschaft message
ernannt (ernennen) to appoint
ersetzte (ersetzen) to replace
verzögern to delay
wiederbelebt (wiederbeleben) to revive
(die) Kriegsverbrechen war crimes
harrte aus (ausharren) to endure
überzeugen to convince

2.6. WER WAR FRANKLIN ROOSEVELT UND WIE TRAT ER IN DEN ZWEITEN WELTKRIEG EIN?

- *Franklin Roosevelt wurde im Jahr 1882 geboren und starb 1945.*
- *Er war der 32. Präsident der Vereinigten Staaten.*
- *Er beschloss den Kriegseintritt der Vereinigten Staaten nach dem Angriff auf Pearl Harbor.*

Franklin Roosevelt war der 32. Präsident der Vereinigten Staaten von Amerika. Ein Teil seiner Amtszeit fiel auf den Zweiten Weltkrieg. Er musste sich auch der größten Wirtschaftskrise des 20. Jahrhunderts stellen: der Weltwirtschaftskrise. Er war der einzige Präsident der Vereinigten Staaten mit drei Amtszeiten.

Roosevelt war ein Einzelkind. Er wuchs in New York auf und ging ab dem Jahr 1900 auf die Harvard University. Dort **entwickelte** er eine enge Beziehung zu seinem Cousin Theodore Roosevelt, dem 26. Präsidenten der Vereinigten Staaten. Roosevelts Verbindungen zu seinem Cousin motivierten ihn, in die Politik zu gehen.

Im Jahr 1910 gewann Roosevelt sein erstes politisches Amt als Senator des Staates New York. 1912 wurde er wiedergewählt und 1913 wurde er Assistent des Marineministers.

Seine politische Karriere machte auch im und nach dem Ersten Weltkrieg große Fortschritte, obwohl er im Jahr 1921 an Polio erkrankte. Wegen dieser Krankheit ging er mit **Krücken** und nutzte manchmal einen **Rollstuhl**.

Im Jahr 1928 kandidierte Roosevelt als Gouverneur des Staates New York und gewann die Wahl mit 25.000 Stimmen. 1930 wurde er als Gouverneur wiedergewählt. Während seiner zwei Amtszeiten konzentrierte er sich auf die Entwicklung der staatlichen Wirtschaft, die Flexibilisierung der Steuern und die Erhöhung des Wohlstands.

Dank seines Erfolgs als Gouverneur von New York war Roosevelt der demokratische Kandidat bei den Präsidentschaftswahlen von 1932. Er gewann die Wahl mit 23 Millionen Stimmen, während sein Gegner nur 16 Millionen erhielt.

Während seiner ersten Amtszeit als Präsident sah sich Roosevelt mit der Weltwirtschaftskrise konfrontiert. Er schuf mithilfe seiner Berater ein wirtschaftliches Entwicklungsprogramm namens *New Deal*, um armen und arbeitslosen Amerikanern zu helfen. Roosevelts Programm legte den Grundstein für den Kapitalismus nach amerikanischem Vorbild. 1936 wurde Roosevelt als Präsident der Vereinigten Staaten wiedergewählt.

DIE USA UND DER ZWEITE WELTKRIEG

Im Jahr 1939 förderte Roosevelt die Beziehungen der Vereinigten Staaten zu Europa. Als nationalistische Regierungen wie die von Hitler und Mussolini an die Macht kamen, hielt es Roosevelt für wichtig, dass die Vereinigten Staaten in Kontakt mit Europa standen.

In den 1930er-Jahren nahmen die Vereinigten Staaten auch Handelsbeziehungen mit der Sowjetunion auf und **erkannten** sie als Staat **an**. Darüber hinaus startete Roosevelt die „Politik der guten Nachbarschaft", um das Wachstum des Sozialismus und Kommunismus in Lateinamerika zu überwachen.

Die Vereinigten Staaten wollten jedoch nach dem Ersten Weltkrieg keine Truppen zur Teilnahme an europäischen Konflikten entsenden, da sie zuvor viele Ressourcen in Form von Geld und Soldaten verloren hatten.

Als der Zweite Weltkrieg ausbrach, **berief** Präsident Roosevelt den Kongress zu einer **außerordentlichen Sitzung** ein, um Frankreich und Großbritannien Geld und Waffen für ihren Kampf gegen Deutschland und Italien zu geben. Er sanktionierte Japan zudem mit einer Handelsblockade, die insbesondere für Ölexporte galt.

Im August 1941 unterzeichnete er mit dem englischen Premierminister Winston Churchill die Atlantik-Charta. Dieses Abkommen untermauerte die Unterstützung der USA zur Bekämpfung der Nazis.

Franklin Roosevelt beschloss nach dem Überraschungsangriff auf Pearl Harbor am 7. Dezember 1941, in den Zweiten Weltkrieg einzutreten. Dieser Angriff zerstörte einen Teil der amerikanischen Pazifik-Flotte. Beim Angriff kamen 2.500 Soldaten und Zivilisten ums Leben. Einen Tag später forderte Roosevelt den Kongress auf, Japan den Krieg zu erklären. Am 11. Dezember erklärten Deutschland und Italien den Vereinigten Staaten den Krieg.

NACH DEM KRIEG

Während des Zweiten Weltkriegs erholten sich die Vereinigten Staaten von der Wirtschaftskrise. Insbesondere die Waffen- und Flugzeugindustrie nahm Fahrt auf, um die Achsenmächte zu bekämpfen.

Die Beteiligung der Vereinigten Staaten am Krieg machte Franklin Roosevelt neben Winston Churchill und Stalin zu einem der drei großen Persönlichkeiten der Alliierten.

Im Präsidentschaftswahlkampf des Jahres 1944 wählte das Volk Franklin Roosevelt zum vierten Mal wieder. Allerdings war er gesundheitlich angeschlagen, da er an einem schwachen Herzen litt. Dennoch schaffte er es, die Wahl für sich zu gewinnen.

Im Jahr 1945 **verschlechterte** sich Roosevelts Gesundheitszustand, sodass er am 12. April 1945 in Warm Springs an einer Gehirnblutung starb. Roosevelt gilt nach wie vor als Retter der Nation.

Wusstest du schon?

Franklin Roosevelt hielt seine Reden immer im Stehen, obwohl er an Polio litt.

Vokabular

entwickelte (entwickeln) to develop
(die) Krücken crutches
(der) Rollstuhl wheelchair
(der) Grundstein cornerstone
erkannten an (anerkennen) to acknowledge
berief (berufen) to appoint, to summon
außerordentlich extraordinary
(die) Sitzung meeting
verschlechterte (verschlechtern) to deteriorate, to worsen

3. DIE WICHTIGSTEN EREIGNISSE

- *Der Zweite Weltkrieg begann im Jahr 1939 und endete 1945.*
- *Er kann in zwei Phasen unterteilt werden: jene Phase nach Beginn des Krieges, als die Achsenmächte Europa kontrollierten, und jene Phase nach Pearl Harbor, als die Vereinigten Staaten beschlossen, sich den Alliierten anzuschließen und den Krieg zu gewinnen.*

Landungsboote beim Angriff auf Iwo Jima während des Zweiten Weltkriegs (Foto auf goodfreephotos.com)

Der Zweite Weltkrieg war der größte bewaffnete Kampf der gesamten Menschheitsgeschichte. In diesem Kapitel **beleuchten** wir die wichtigsten Ereignisse des Zweiten Weltkriegs und wie sie die Entwicklung des Konflikts **beeinflusst** haben.

Nachfolgend haben wir eine Zeitleiste der wichtigsten Ereignisse des Zweiten Weltkriegs erstellt. Diese **Zeitleiste** hilft uns, die Entwicklung und den Verlauf des Zweiten Weltkriegs besser zu verstehen.

CHRONOLOGIE DER WICHTIGSTEN EREIGNISSE DES ZWEITEN WELTKRIEGS

1939

- 1. September: Deutschland überfällt Polen. Die deutschen Truppen besiegen die polnische Armee in 27 Tagen.
- 3. September: Großbritannien und Frankreich erklären Deutschland den Krieg.
- 15. September: Die Vereinigten Staaten machen ihre Entscheidung öffentlich, sich nicht an dem Krieg zu beteiligen.
- 17. September: Sowjetische Truppen marschieren in Ostpolen ein und die Sowjetunion und Deutschland teilen das polnische Staatsgebiet untereinander auf.

- 30. September: Die sowjetische Armee dringt in Finnland ein und errichtet dort Militärstützpunkte.

1940

- **9. April**: Deutsche Truppen marschieren in Dänemark und Norwegen ein.
- **10. Mai**: Die deutschen Angriffe auf Belgien, die Niederlande und Luxemburg beginnen.
- **10. Mai**: Winston Churchill tritt sein Amt als Premierminister von Großbritannien an.
- **14. Mai**: Die deutsche Armee zerstört die französische Front.
- **5. Juni**: Die deutsche Armee zerstört erneut den südlichen Teil der französischen Front.
- **10. Juni**: Italien schließt sich Deutschland an, um gegen Großbritannien und Frankreich zu kämpfen.
- **14. Juni**: Deutsche Truppen marschieren in Paris ein.
- **16. Juni**: Pétain wird französisches Staatsoberhaupt.
- **22. Juni**: Frankreich unterzeichnet einen Waffenstillstand mit Deutschland. Zwei Tage später folgt ein Waffenstillstand mit Italien.
- **12. Juli**: Hitler befiehlt Luftangriffe auf Großbritannien.
- **27. September**: Deutschland, Italien und Japan unterzeichnen den Dreimächtepakt zur Bildung der Achsenmächte.

1941

- **10. Februar**: Italien beginnt mit seinem Angriff auf Nordafrika.
- **14. März**: Die Vereinigten Staaten beginnen, Großbritannien finanziell zu unterstützen, um den Kampf gegen die Deutschen fortzusetzen.
- **6. April**: Deutsche Truppen marschieren in Jugoslawien und Griechenland ein.
- **10. Mai**: Die deutschen Luftangriffe auf England enden. In den acht Monate lang andauernden Luftangriffen zerstörten die Deutschen mehr als eine Million Häuser und töteten 40.000 Zivilisten.
- **22. Juni**: Beginn der Operation Barbarossa, bei der mehr als vier Millionen deutsche Soldaten die Grenze zur Sowjetunion **überschreiten**. Deutschland bricht den Nichtangriffspakt mit der Sowjetunion.
- **14. August**: Franklin Roosevelt und Winston Churchill treffen sich und unterzeichnen die Atlantik-Charta.
- **17. November**: Deutsche Truppen **nähern sich** Moskau.
- **7. Dezember**: Die Japaner greifen den US-Marinestützpunkt Pearl Harbor an. Kurze Zeit später treten die Vereinigten Staaten in den Krieg ein.
- **8. Dezember**: Großbritannien und die USA erklären Japan den Krieg.

1942

- **9. Januar**: Japan beginnt mit dem Angriff auf die Philippinen.
- **15. Februar**: Nach siebentägigen Kämpfen kapituliert Singapur vor Japan. Die Japaner nahmen bei diesem **Gefecht** 80.000 Soldaten gefangen.
- **27. Februar:** Die Schlacht in der Javasee. Bei dieser Schlacht versuchten die Vereinigten Staaten, den japanischen Vormarsch im Pazifik zu stoppen.
- **9. April**: Die Philippinen kapitulieren.
- **4. Juni**: US-Truppen gewinnen die Schlacht von Midway und stoppen den japanischen Vormarsch im Pazifik.
- **7. August**: US-Truppen treffen auf Guadalcanal ein.
- **25. August**: Russische Truppen starten den Gegenangriff auf Stalingrad.
- **13. September**: Die Japaner versuchen, Guadalcanal zu erobern, sind aber erfolglos und verlieren viele Soldaten.
- **23. Oktober**: Britische Truppen greifen die deutsche Armee bei El Alamein in Ägypten an.
- **4. November:** Die deutschen Truppen ziehen sich nach der Niederlage bei El Alamein aus Nordafrika zurück.

1943

- **14. Januar**: Churchill und Roosevelt treffen sich auf der Casablanca-Konferenz, wo sie beschließen, die amerikanischen Luftangriffe auf Deutschland zu intensivieren.
- **9. Februar**: Nach sechsmonatigem Kämpfen in der Luft, auf See und an Land gewinnen die Vereinigten Staaten die Schlacht von Guadalcanal und vertreiben die japanischen Truppen.
- **15. März**: Sowjetische Truppen erobern Krakau.
- **10. Juli**: Alliierte Truppen marschieren auf der Insel Sizilien in Italien ein.
- **16. Juli**: Die deutschen Truppen ziehen sich aus Kursk (Russland) zurück, nachdem sie gegen sowjetische Truppen verloren haben.
- **25. Juli**: Mussolini wird verhaftet, nachdem er vom Großen Faschistischen Rat **entmachtet** wurde.
- **3. August**: Italien unterzeichnet einen Waffenstillstand mit den Alliierten, obwohl einige italienische und nationalsozialistische Truppen die Kapitulation nicht akzeptieren.
- **28. November:** Die Teheran-Konferenz beginnt, auf der erstmals Stalin, Churchill und Roosevelt aufeinander treffen.1944

- **15. März**: Alliierte Truppen werfen 1.250 Tonnen Bomben auf Cassino (Italien) ab.
- **8. April**: Die Sowjets starten ihren letzten Angriff auf deutsche Truppen auf der Krim.
- **9. Mai**: Die Deutschen verlassen die Krim.
- **17. Mai**: Die Deutschen beginnen mit dem Rückzug aus Cassino.
- **25. Mai**: Amerikanische Truppen beginnen, sich Rom zu nähern.
- **3. Juni**: Die Deutschen beginnen mit dem Rückzug aus Rom vor der bevorstehenden Ankunft amerikanischer Truppen.
- **6. Juni**: D-Day. Alliierte Truppen landen in der Normandie.
- **13. Juni**: Die ersten in Deutschland hergestellten V1-Raketen werden gegen England eingesetzt.
- **10. August**: Der japanische Widerstand auf Guam ist gebrochen.
- **25. August**: Alliierte Truppen befreien Paris.
- **2. September**: Russische Truppen treffen in Bulgarien ein und nähern sich Deutschland.
- **8. September**: Die ersten in Deutschland hergestellten V2-Raketen werden gegen England eingesetzt.

- **16. September**: Hitler versucht, den Vormarsch der Alliierten in der Ardennenoffensive zu stoppen, was jedoch nicht gelingt.

1945

- **16. Februar:** Die Schlacht von Iwo Jima beginnt.
- **23. Februar**: Die Vereinigten Staaten gewinnen die Schlacht von Iwo Jima mit 20.000 besiegten und 1.000 verhafteten japanischen Soldaten.
- **1. April**: US-Truppen nehmen Okinawa als letzte von den Japanern besetzte Insel ein.
- **12. April**: Nach 12 Jahren als Präsident der Vereinigten Staaten stirbt Franklin Roosevelt an einem Schlaganfall.
- **13. April**: Russische Truppen erobern Wien.
- **22. April**: Hitler beschließt, bis zum Ende in Berlin zu bleiben.
- **30. April**: Hitler begeht Selbstmord, als er von sowjetischen Truppen **umzingelt** wird.
- **2. Mai**: Berlin kapituliert vor den sowjetischen Truppen.
- **8. Mai**: Der Sieg über Nazi-Deutschland ist offiziell.
- **6. August**: Die Vereinigten Staaten werfen die erste Atombombe auf Hiroshima ab und töten damit mehr als 100.000 Menschen.

- **9. August**: Die Vereinigten Staaten werfen eine zweite Atombombe über dem Militärhafen von Nagasaki ab. Auch bei diesem Angriff werden mehr als 100.000 Menschen getötet.
- **2. September**: Japan kapituliert.

Vokabular

unterteilt (unterteilen) to subdivide
beleuchten to illuminate
beeinflusst (beeinflussen) to influence
(die) Zeitleiste timeline
überschreiten to exceed
(das) Gefecht battlte
entmachtet (entmachten) to disempower
umzingelt surrounded

3.1. DIE SCHLACHT VON DÜNKIRCHEN

- *Der Rückzug aus Dünkirchen war entscheidend für den deutschen Vormarsch in Westeuropa.*
- *Er geschah zwischen dem 26. Mai und dem 4. Juni 1940.*
- *Die Deutschen umzingelten die alliierten Soldaten am Strand von Dünkirchen.*
- *Als die Schlacht so gut wie gewonnen war, gab Hitler den Befehl, mit dem letzten Angriff auf Dünkirchen zu warten, da er davon ausging, dass sich Großbritannien ergeben würde.*
- *Mehr als 338.000 alliierte Soldaten wurden gerettet.*

Nach dem Einmarsch in neue Gebiete übernahm Deutschland die Kontrolle über die westlichen Länder Europas. Der Rückzug aus Dünkirchen ist ein Ereignis, das ein Vorher und Nachher im deutschen Vormarsch durch Westeuropa markierte. Zwischen dem 26. Mai und dem 4. Juni 1940 kämpften die alliierten Soldaten am Strand von Dünkirchen darum, nach der verlorenen Schlacht gegen die Deutschen nach England **entkommen** zu können.

VOR DER INVASION

Deutschland überfiel Polen im Jahr 1939 und **löste** einen Krieg in Europa **aus**. Bis 1940 war Deutschland in

Norwegen und Dänemark einmarschiert, ohne auf großen **Widerstand** zu stoßen.

Gemäß dem Vertrag von Versailles begann Frankreich, seine Truppen in die Länder Nordeuropas zu entsenden, um den deutschen Vormarsch zu stoppen. Aufgrund der geografischen Position von Norwegen und Dänemark konnten die Alliierten diese Länder nicht betreten und Deutschland hatte leichtes Spiel, die Kontrolle über beide Länder zu übernehmen.

Nach der Eroberung Nordeuropas sah Hitler eine mögliche deutsche Expansion in Westeuropa und begann mit der Invasion der Niederlande. Die Franzosen, Engländer, Belgier und Niederländer organisierten sich und bereiteten sich auf den deutschen Angriff vor, wobei sie fast eine Million Soldaten **aufbieten** konnten.

Trotz jener Truppen konnten die Alliierten den deutschen Soldaten keinen Widerstand leisten. Die Deutschen verfügten über mehr als 5.500 Flugzeuge und mehr als 3 Millionen Fußsoldaten. Sie griffen von drei verschiedenen Fronten aus an und in weniger als einer Woche waren die Niederlande unter deutscher Kontrolle.

Die Niederlage der Niederlande führte zur Schlacht in Belgien, wo sich die Franzosen versammelten, um ihr eigenes Land zu verteidigen. Die Deutschen rückten mithilfe einer modernen mechanisierten Infanterie vor, die aus Kampfpanzern und anderen Maschinen bestand. Jene Brigaden wurden während des Zweiten Weltkriegs von allen Seiten eingesetzt. Obwohl die Alliierten Widerstand leisteten, nahmen die Deutschen Belgien nach nur kurzer Zeit ein.

DIE SCHLACHT VON DÜNKIRCHEN UND DER RÜCKZUG DER ALLIIERTEN

Deutschland griff die Belgier, Engländer und Franzosen an drei Fronten an, während diese um die Kontrolle der belgisch-französischen Grenze kämpften.

Bei einem der berüchtigsten strategischen Schritte des Zweiten Weltkriegs griff eine der deutschen Fronten die alliierten Soldaten von hinten an. Hunderte Soldaten wurden 10 Kilometer von Belgien entfernt in Dünkirchen **in die Enge getrieben**. Die Deutschen eilten die Atlantikküste Frankreichs hinauf, während eine weitere Front aus Belgien hinzu stieß. Hunderttausende Soldaten wurden von den Deutschen gefangen genommen. Als die Situation **aussichtslos** war, ergab sich König Leopold von Belgien und die Deutschen ließen die belgischen Soldaten vom Strand entkommen.

Zu diesem Zeitpunkt war die Schlacht aus Sicht der Alliierten verloren: Die britischen und französischen Streitkräfte waren schwach. Als die Soldaten versuchten, sich zurückzuziehen, verstärkten die deutschen Schiffe ihre **Angriffsbemühungen** und die meisten Alliierten sahen sich an den französischen Stränden gefangen. In diesem Moment trifft Hitler eine der umstrittensten Entscheidungen des Krieges: Er erklärt auf **Anraten** zweier deutscher Generäle einen Waffenstillstand. Die deutschen Truppen rund um Dünkirchen griffen drei Tage lang nicht mehr an. Diese Feuerpause ermöglichte es den Briten, ihre Soldaten zurück nach England zu verschiffen.

Die Rettungsaktion trug den Namen „Operation Dynamo" und wurde von der Royal Navy vom 27. Mai bis 7. Juni durchgeführt.

Mehr als 338.000 alliierte Soldaten entkamen aus Dünkirchen. Die Hälfte von ihnen waren Briten, während der Rest Polen, Franzosen und Belgier waren.

Viele britische Fischer und Seeleute boten ihre Fischer-, Segel- und Transportboote an, um den Soldaten bei der Flucht zu helfen. Sie überquerten den Ärmelkanal, um so viele Soldaten wie möglich auf ihren Booten aufzunehmen. Sie verließen Dünkirchen am 3. Juni, aber Churchill bestand darauf, noch einmal zurückzukehren und noch mehr alliierte Soldaten zu retten. Er sagte damals:

„Wir werden ausharren, wir werden in Frankreich kämpfen, wir werden auf den Meeren und Ozeanen kämpfen, wir werden mit wachsender ***Zuversicht*** *und zunehmender Stärke in der Luft kämpfen, wir werden unsere Insel verteidigen, was immer es uns auch kosten möge, wir werden an den Dünen kämpfen, wir werden auf den Flugplätzen kämpfen, wir werden auf den Feldern und in den Straßen kämpfen, wir werden auf den* ***Hügeln*** *kämpfen, wir werden uns niemals ergeben."*

Obwohl es ihnen gelang, am letzten Tag noch einmal mehr als 25.000 französische Soldaten zu retten, blieben weitere 30.000 zurück und mussten sich den Deutschen ergeben.

FOLGEN DES RÜCKZUGS AUS DÜNKIRCHEN

Die Gründe für den deutschen Halt vor Dünkirchen sind unklar, obwohl viele Historiker glauben, dass es eine Taktik Hitlers war, um die Kapitulation Großbritanniens herbeizuführen.

Andererseits war der Rückzug aus Dünkirchen der Beginn einer schnellen Invasion Frankreichs, da die Deutschen eine Woche später durch die Straßen von Paris marschierten. Die französischen Truppen verloren bei dieser Konfrontation mehr als 40.000 Soldaten.

In der Schlacht von Dünkirchen mussten die englischen Truppen viel Ausrüstung, Waffen und Munition zurücklassen. Einige Historiker sind der Meinung, dass mit der zurückgelassenen Ausrüstung 8 bis 10 englische Divisionen hätten bewaffnet werden können. Nach dem Rückzug fehlten den Alliierten moderne militärische Geräte, sodass sie auf alte **Ausrüstung** zurückgreifen mussten.

Wusstest du schon?

Der deutschen Stadt Konstanz gelang es, während des Krieges von den britischen Bombenangriffen verschont zu bleiben. Da die Stadt in der Nähe der Schweizer Grenze liegt, ließ man nachts die Lichter an, während andere deutsche Städte sie ausschalteten, um nicht von Luftangriffen getroffen zu werden. Die britischen Bomber dachten, Konstanz sei bereits auf der Schweizer Seite und warfen keine Bomben auf die Stadt ab.

Vokabular

(der) Rückzug retreat
entkommen to escape
löste aus (auslösen) to trigger, to set off
(der) Widerstand resistance
aufbieten to mobilize
versammelten (versammeln) to gather, to assemble
in die Enge getrieben (in die Enge treiben) to corner
aussichtslos hopeless
(die) Angriffsbemühungen efforts to attack
(das) Anraten attack
(die) Zuversicht confidence
(die) Hügel hill
(die) Ausrüstung equipment, gear

3.2. DIE BESETZUNG VON FRANKREICH

- *Der Einmarsch in Frankreich war eines der wichtigsten Ereignisse des Zweiten Weltkriegs.*
- *Die Schlacht von Dünkirchen markierte den Beginn der Besetzung Frankreichs.*
- *Hitler marschierte am 14. Juni 1940 in Paris ein.*
- *Der Fall Frankreichs wird als einer der Faktoren angesehen, der die Vereinigten Staaten dazu bewegte, in den Krieg einzutreten. Die meisten Historiker sind jedoch anderer Meinung.*

Nach dem Überfall auf Polen war der Einmarsch in Frankreich das wichtigste Ereignis zu Beginn des Zweiten Weltkriegs. In nur 6 Wochen wurde Frankreich unter deutsche Herrschaft gestellt. Was Historiker den „Fall Frankreichs" nennen, schließt auch die Besetzung der Niederlande und Belgiens durch deutsche Truppen ein.

Wie bereits erwähnt, besetzten die Deutschen Westeuropa in einem Blitzkrieg, der mit dem Abzug aus Dünkirchen und dem Einmarsch in Frankreich endete.

NACH DÜNKIRCHEN

Nach dem Abzug der alliierten Truppen aus Dünkirchen schienen die Alliierten den Krieg zu verlieren. In nur drei Wochen hatten die Deutschen über eine Million Kriegsgefangene genommen!

Zu Beginn des Zweiten Weltkriegs war Frankreich **unvorbereitet**, da es eine **unterentwickelte** Luftwaffe hatte und seine militärischen Strategien veraltet waren, während die Deutschen **über** hochmodernes Kriegsgerät und innovative Strategien **verfügten**.

Als die französischen Truppen Dünkirchen verloren, war es für die Deutschen ein leichtes Spiel, bis nach Paris vorzudringen. Italien erklärte Frankreich am 10. Juni den Krieg und Hitler ließ sich schon am 14. Juni am Eiffelturm fotografieren!

Hitler hatte die französische Hauptstadt **eingenommen** und kontrollierte somit das Land. Die restlichen französischen Truppen flohen Ende Juni im Rahmen der Operation Ariel nach England.

Die Deutschen unterzeichneten einen Waffenstillstand mit Marschall Philippe Pétain, einem Vertreter der französischen Regierung. Der Waffenstillstand umfasste die Bedingung, dass Deutschland zwei Drittel des Landes kontrolliert und die Funktionen der französischen Armee **eingeschränkt** wurden. Das restliche Drittel Frankreichs wird ab diesem Moment als „Vichy-Regierung“ bezeichnet, die von Pétain geführt wird.

FOLGEN DES FALLS FRANKREICHS

Als es Hitler gelang, Frankreich einzunehmen, schien der Krieg für die Alliierten verloren. Zu dieser Zeit blieb nur noch England vor den Deutschen **verschont**. Die französische Küste liegt nahe an England, sodass Deutschland nun in der Lage war, Druck auf England auszuüben und einen Deal für die Deutschen auszuhandeln.

Die Bedrohung war ernst zu nehmen. Churchill befahl der britischen Marine elf Tage nach dem Fall Frankreichs, französische Schiffe vor der Küste Nordafrikas zu zerstören, um die Deutschen daran zu hindern, die Schiffe zu erobern.

Wegen dieses Angriffs und weiterer Zwischenfälle dieser Art hätte die französische **Kollaborationsregierung** England fast den Krieg erklärt. Beinahe wäre es zu einem französischen Überfall auf Gibraltar gekommen.

Der Fall Frankreichs hat deutlich gemacht, dass der Zweite Weltkrieg ein langer Konflikt sein würde und dass er die Teilnahme der beiden Großmächte (die Sowjetunion und die Vereinigten Staaten) **erfordern** würde, um Deutschland in die Knie zu zwingen.

Wusstest du schon?

Während des Krieges riskierten Piloten, an ihren eigenen Gasen zu sterben. Flogen sie steil in große Höhen, sammelten die Piloten 300 % mehr Verdauungsgase in ihren Mägen an.

Vokabular

bereits erwähnt already mentioned
unvorbereitet unprepared
unterentwickelt underdeveloped
über verfügten (über etwas verfügen) to have something
eingenommen (einnehmen) to occupy, to capture
eingeschränkt (einschränken) to restrict, to limit
verschont (verschonen) to spare
(die) Kollaborationsregierung collaborative governance
erfordern to require
(die) Verdauungsgase digestive gases

3.3. WIE KAM ES ZUR SCHLACHT UM ENGLAND?

- *Die Luftschlacht um England fand zwischen Juli und September 1940 statt.*
- *Der deutsche Code für die Schlacht lautete „Unternehmen Seelöwe“.*
- *Die Schlacht bestand hauptsächlich aus Luftkämpfen, bei denen viele Bomben auf britische Städte abgeworfen wurden.*
- *Bei den Luftangriffen wurden 40.000 britische Zivilisten getötet.*

London nach den Bombenangriffen von 1940, Foto auf goodfreephotos.com

Die Luftschlacht um England fand zwischen Juli und September 1940 statt. Sie ist berühmt, weil sich die britische Royal Air Force effektiv gegen Luftangriffe der deutschen Luftwaffe gewehrt hat.

WIE KAM ES ZUR SCHLACHT UM ENGLAND?

Als die Deutschen in Frankreich einmarschierten, war Großbritannien im Kampf auf dem europäischen Festland auf sich allein gestellt, obwohl die Deutschen keinen konkreten Plan für eine Invasion Großbritanniens hatten. Die Briten schienen den Krieg zu verlieren und sich zu ergeben, aber Winston Churchill **lehnte** jeden Pakt mit den Nazis **ab**. Daher befahl Hitler am 16. Juli 1940 der Luftwaffe, sich auf das Unternehmen Seelöwe vorzubereiten. Das Ziel war die Invasion Großbritanniens. Nach seinen Plänen sollte das Unternehmen im August desselben Jahres beginnen.

Die deutschen Truppen brauchten jedoch zu lange, um sich vorzubereiten. Die deutsche Marine hatte kaum Erfahrung, während die britische Royal Navy zu dieser Zeit die größte Seemacht der Welt war.

Daher beschloss Hitler, Großbritannien aus der Luft anzugreifen. Die Luftangriffe versuchten zunächst, die englischen Schiffe und Flugzeuge zu zerstören, um den deutschen Fußsoldaten den Einmarsch zu erleichtern.

DIE LUFTANGRIFFE

Der erste Luftangriff auf England fand am 13. August statt. Da das ursprüngliche Ziel der Angriffe darin bestand, die britischen Streitkräfte zu schwächen, richteten sich die ersten Bombenangriffe auf mehrere Flugplätze und Marinestützpunkte. Die Deutschen griffen auch Flugzeug- und Radarfabriken an, um die Fähigkeit der Briten zu verringern, deutsche Flugzeuge zu sichten.

Diese frühe Taktik wurde im Laufe der Angriffe geändert. Später wurden statt der militärischen Ziele vermehrt britische Städte bombardiert, um die Moral der Bevölkerung zu senken.

Wegen der Luftschlacht um England wurde der Zweite Weltkrieg auch als „Krieg der Maschinen" bekannt. In früheren Kriegen war die Industrie nicht so wichtig gewesen. Im Zweiten Weltkrieg nutzten beide Seiten jedoch gleich fünf neue Erfindungen: Flugzeugträger, Bomber, Radar, Maschinengewehre und Panzer. Der Einsatz von Kampfflugzeugen machte den Unterschied, weil durch Luftangriffe große Mengen an Truppen eliminiert, Panzer gesprengt und sogar U-Boote zerstört werden konnten. In dieser Schlacht griffen beide Seiten Städte aus der Luft an und töteten Tausende **unbewaffneter** Zivilisten.

Die deutsche Luftwaffe hatte zunächst keinen festen Angriffsplan. Anfang September warfen die Deutschen erstmals Bomben auf einen zivilen Stadtteil Londons. Nach Ansicht einiger Historiker könnte dieser Angriff ein Fehler der Deutschen gewesen sein, da sie zu diesem

Zeitpunkt ausschließlich Militärstützpunkte angreifen wollten. Nach dem Bombenangriff auf London reagierten die Briten, indem sie Bomben auf Berlin abwarfen.

Der Angriff auf Berlin **verärgerte** Hitler. Ab diesem Moment befahl er, die meisten Angriffe auf London und andere Städte in Großbritannien durchzuführen. Ab dem 7. September bombardierten die Deutschen London 57 Nächte **am Stück**. Auch Glasgow, Clydeside, Plymouth, Belfast und Liverpool wurden von deutschen Flugzeugen angegriffen.

Bis Ende September 1940 hatte die Luftwaffe über 600 Flugzeuge verloren, während die Royal Air Force nur 62 ihrer Flugzeuge verlor. Mitte September stoppte Deutschland die Luftangriffe, da die Briten mehr Flugzeuge zerstörten, als sie bauen konnten. Aus diesem Grund änderte die Luftwaffe ihre Taktik und flog nicht mehr tagsüber, sondern nachts, um die **Sichtung** der Flugzeuge zu **erschweren**.

Die Briten wehrten sich nicht nur mit Kampfflugzeugen. Sie nutzten auch das Radio, um Städte vor dem Eintreffen deutscher Flugzeuge zu warnen. So hatten Zivilisten Zeit, in U-Bahn-Stationen und Kellern **Zuflucht** zu suchen, während sich die Royal Air Force auf den Kampf in der Luft vorbereiten konnte.

Außerdem setzte die Royal Air Force Radar ein, um den genauen Standort deutscher Flugzeuge zu ermitteln. Sie verwendete auch die entschlüsselten Informationen der

Enigma (jener Maschine, die der Grundstein moderner Computer war).

Dank der **verschlüsselten** Informationen wusste die Royal Air Force immer, wo die Deutschen angreifen würden.

Wegen der hohen Verluste beschloss Hitler, das Unternehmen Seelöwe auf den Winter 1940 zu verschieben. Tatsächlich aber hatte er nie die Absicht, die Luftangriffe auf England fortzusetzen, da er alle seine Truppen auf die Invasion der Sowjetunion konzentrieren wollte. Die Hälfte der Luftangriffe traf London. Bei der Bombardierung Englands wurden 40.000 englische Zivilisten getötet. Außerdem wurden 46.000 Zivilisten verletzt und mehr als eine Million Häuser zerstört. Die Deutschen verloren ungefähr 2.500 Piloten und insgesamt 2.400 Flugzeuge.

Wusstest du schon?

Als die Luftangriffe auf London begannen, tötete der Londoner Zoo alle seine giftigen Tiere. Damit wollten sie verhindern, dass gefährliche Tiere entkommen, sollte eine Bombe den Zoo treffen.

Vokabular

lehnte ab (ablehnen) to decline, to reject
unbewaffnet unarmed
verärgerte (verärgern) to extend
am Stück without interruption
(die) Sichtung sighting
erschweren to hinder, to make more difficult
(die) Zuflucht refuge, shelter
verschlüsselten (verschlüsseln) encrypted

3.4. WAS WAR DAS UNTERNEHMEN BARBAROSSA?

- *Hitler selbst plante das Unternehmen Barbarossa.*
- *Die Deutschen wollten die Sowjetunion überfallen.*
- *Im Juni 1941 brach Deutschland seinen Nichtangriffspakt mit Russland.*
- *Die deutschen Truppen wurden durch den russischen Winter geschwächt.*
- *Im Frühjahr 1942 gelang es den Sowjets, die deutschen Truppen zu besiegen.*

Unternehmen Barbarossa war ein Plan Hitlers, in das westliche Territorium der Sowjetunion (das heutige Russland) einzudringen. Die Invasion begann am 22. Juni 1941.

WARUM MARSCHIERTE DEUTSCHLAND IN RUSSLAND EIN?

Trotz des Nichtangriffspaktes zwischen Deutschland und der Sowjetunion beschloss Hitler im Juni 1941, die Sowjetunion anzugreifen. Dieser Angriff geschah aus mehreren Gründen:

1. Deutschland hatte vor allem Angst, dass sowjetische Truppen angreifen würden, während die Deutschen in Westeuropa beschäftigt waren.
2. Hitler betrachtete den sowjetischen Kommunismus und Sozialismus als Gefahr für Europa.
3. Nazideutschland konnte das Gebiet der Sowjetunion, sein Öl, seine Mineralien, das viele **Weizen** und seine billigen **Arbeitskräfte ausnutzen**.

Bei dem Angriff auf die Sowjetunion handelte es sich jedoch um eine riskante Entscheidung. Deutschland kämpfte nun schließlich an zwei Fronten: im Westen gegen Großbritannien und im Osten gegen die Sowjetunion.

Hitlers ursprünglicher Plan war, die Sowjetunion im Mai 1941 anzugreifen, aber die Offensive verzögerte sich um fünf Wochen, weil Deutschland in Jugoslawien und Griechenland einmarschierte. Den Deutschen blieben nur noch wenige Monate, um noch vor den Wintermonaten in die Sowjetunion einzumarschieren.

UNTERNEHMEN BARBAROSSA: DER PLAN

Hitler entsandte vier Millionen Soldaten (150 Divisionen) in die Sowjetunion. Hinzu kamen 3.000 Panzer, 7.000 Artilleriegeschütze und 3.000 Flugzeuge. Dies war das größte militärische **Aufgebot** für eine Invasion in der Geschichte der Menschheit.

Die Truppen und Kriegsmaschinen hatten das Ziel, in kurzer Zeit große Entfernungen zurückzulegen. Die Sowjets hatten etwa doppelt so viele Panzer und Flugzeuge, die jedoch zumeist veraltet waren.

Es gab zwei Pläne, in die Sowjetunion einzumarschieren: den von General Marcks und den von Hitler. Marcks schlug zwei Fronten vor: Die Hälfte der Soldaten würde Moskau direkt angreifen, während der Rest die sowjetischen Truppen von hinten einschließen sollte. Stattdessen wollte Hitler an 3 Fronten angreifen: von Norden (Leningrad), von der Mitte (Moskau) und von Süden (in Richtung der Ukraine). Hitler beschloss, seinem eigenen Plan zu folgen, auch wenn die Invasion dadurch langsamer verlief.

Zu Beginn der Offensive eroberten die Deutschen mehrere wichtige Städte: Riga, Smolensk und Kiew. Diese Städte fielen, weil Stalin und die Rote Armee nicht von einem Angriff der Deutschen ausgingen. Vor Beginn des Zweiten Weltkriegs hatten Deutschland und Russland einen Nichtangriffspakt unterzeichnet. Stalin vertraute Hitler.

DIE INVASION

Die sowjetischen Truppen kämpften mit aller Kraft gegen die Deutschen. Als Deutschland in sowjetisches Gebiet einmarschierte, brannte die Rote Armee Bauernhöfe nieder, zerstörte Brücken und Fabriken und **demontierte** sogar Eisenbahnschienen, damit die Deutschen sie nicht benutzen konnten.

Die Deutschen machten in kurzer Zeit große Fortschritte. Die Sowjets zogen es vor, sich in den großen Städten gegen die deutschen Truppen zu sammeln und diese zu verteidigen: Leningrad, Stalingrad und Moskau. Außerdem begann im Oktober der russische Winter und die deutschen Truppen waren erschöpft, nachdem sie bereits mehrere Monate an der Front gekämpft hatten.

Der typische Oktoberregen sorgte für jede Menge **Schlamm** auf den unbefestigten Straßen, sodass die schweren deutschen Panzer stecken blieben und nicht vorankamen. Als ob das nicht genug wäre, sanken die Temperaturen im November und Dezember auf -38°C. Damit war der Winter 1941 einer der kältesten seit Beginn der Wetteraufzeichnungen.

Die deutschen Truppen waren nicht darauf vorbereitet, solch kaltes Wetter zu **ertragen**, da sie nicht über **geeignete** Kleidung verfügten. Der **Nachschub** mit Nahrung, Kleidung und Munition verspätete sich ebenfalls. Dies erschöpfte die Truppen und sie konnten nur langsam vorrücken.

NACH DEM WINTER: ENDE DER OFFENSIVE

Bis zum Frühjahr 1942 waren die Deutschen noch nicht tief ins russische Staatsgebiet vorgedrungen. Das Unternehmen Barbarossa endete, als die Rote Armee begann, die von Stalin eingesetzten Reservetruppen zu sammeln. Von diesem Moment an begannen die sowjetischen

Truppen, das eigene Territorium und die von den Nazis eingenommenen Städte zurückzugewinnen. Nach und nach marschierte die Sowjetarmee auf Deutschland zu.

Viele Menschen starben während des Unternehmens Barbarossa: mehr als 21 Millionen Russen und 7 Millionen Deutsche.

Wusstest du schon?

Der kalte russische Winter war im Zweiten Weltkrieg der Schlüssel zum Sieg über die Deutschen an der Ostfront. Nicht nur die Soldaten litten unter der Kälte, sondern auch die Panzer und Truppentransporter funktionierten nicht. Die Motoren froren ein und die Soldaten mussten schwere Fahrzeuge durch den Schnee schieben.

Vokabular

(der) Weizen wheat
(die) Arbeitskräfte workforce
ausnutzen to exploit, to take advantage of
(das) Aufgebot squad
demontierte (demontieren) to dismantle
(der) Schlamm mud
ertragen to endure, to bear
geeignete suitable
(der) Nachschub replenishment, supplies

3.5. WAS GESCHAH BEIM ANGRIFF AUF PEARL HARBOR?

- *Pearl Harbor ist ein amerikanischer Marinestützpunkt im Pazifik.*
- *Japan griff Pearl Harbor an, um die amerikanischen Streitkräfte im Pazifik zu schwächen.*
- *Beim Luftangriff wurden einige US-Kriegsschiffe zerstört.*
- *Nach dem Angriff beschlossen die Vereinigten Staaten, in den Krieg gegen die Achsenmächte zu ziehen.*

Die USS Arizona sinkt beim Angriff auf Pearl Harbor im Zweiten Weltkrieg auf goodfreephotos.com

Der Angriff auf Pearl Harbor ist eines der bekanntesten Ereignisse des Zweiten Weltkriegs, weil er die Vereinigten Staaten dazu veranlasste, in den Krieg einzutreten. Nach dem Angriff begannen die Vereinigten Staaten, Truppen nach Europa und in den Pazifik zu entsenden, um gegen Japan, Deutschland und Italien zu kämpfen.

Pearl Harbor ist ein US-Marinestützpunkt auf Hawaii. Am 7. Dezember 1941 griffen japanische Flugzeuge und U-Boote diesen Stützpunkt an.

DIE GRÜNDE FÜR DEN ANGRIFF

Japan griff Pearl Harbor aus mehreren Gründen an:

1. Der wichtigste Grund waren die wirtschaftlichen Probleme Japans, die zum Teil auf die von den Vereinigten Staaten verhängten Sanktionen zurückzuführen waren.

2. Eine der Sanktionen war, dass andere Länder (einschließlich der Vereinigten Staaten) den Export von Öl nach Japan **einstellten**. Bis ins Jahr 1940 hatte Japan nur noch weniger als zwei Jahresvorräte an Öl. Ohne Öl hätte Japan den Krieg gegen China nicht fortsetzen und auch keine weiteren Gebiete mehr erobern können. Um dies zu verhindern, planten die japanischen Kommandeure Tojo und Yamamoto, in den Krieg zu ziehen, bevor das Öl ausging.

Japan plante, die britischen und niederländischen Kolonien Malaysia, Burma, Australien und die Philippinen zu überfallen. Um erfolgreich zu sein, mussten sie zuerst die Vereinigten Staaten **entwaffnen**, die diese Kolonien vom Marinestützpunkt Pearl Harbor aus verteidigen konnten.

Nachdem die Verhandlungen zwischen den Vereinigten Staaten und Japan im Sande verlaufen waren, befahl der japanische Premierminister Hideki Tojo den Angriff auf Pearl Harbor. Admiral Yamamoto plante und organisierte den Angriff. Die in Pearl Harbor stationierten US-Kommandeure hatten nicht mit einem **Überraschungsangriff** gerechnet! Als die japanischen Flugzeuge eintrafen, waren die Amerikaner nicht auf die **Verteidigung vorbereitet**.

DER ANGRIFF AUF PEARL HARBOR

Um 7:55 Uhr flogen die ersten japanischen Flugzeuge über Pearl Harbor. Sie waren die ersten von 350 Flugzeugen, die den Marinestützpunkt angriffen. Diese erste Angriffsserie war die zerstörerischste.

Die zweite Angriffsserie begann um 8:50 Uhr. Da der Angriff an einem Sonntagmorgen stattfand und viele amerikanische Soldaten auf **Heimaturlaub** waren, gab es nicht genügend Truppen auf der Basis von Pearl Harbor, um auf die japanische Offensive zu reagieren.

Pearl Harbor war ein Triumph für die Japaner. In zwei Stunden zerstörten sie 350 Flugzeuge und beschädigten 5 Kriegsschiffe. Außerdem wurden 2.300 Soldaten und Zivilisten getötet und 1.100 weitere verletzt. Die Japaner verloren nur 60 Flugzeuge, 5 U-Boote und weniger als 100 Soldaten.

DIE FOLGEN

So effektiv dieser Angriff auch war, die Japaner zerstörten keine größeren Kriegsschiffe von Pearl Harbor. Auch die **Treibstoffreserven** und mehrere bedeutende Kriegsschiffe blieben intakt.

Die Folgen des Angriffs waren nur kurzfristig bedeutend. Wenige Monate später hatten die Amerikaner ihre militärische Macht im Pazifik bereits wiedererlangt. Dennoch veränderte der Überraschungsangriff auf Pearl Harbor das **Ausmaß** des Zweiten Weltkriegs, da der Konflikt nun auch Asien und den Pazifik erreichte. Darüber hinaus traten die Vereinigten Staaten nach dem Angriff auf Pearl Harbor in den Krieg ein.

Wusstest du schon?

Hamburger waren bereits vor dem Zweiten Krieg ein beliebtes Fast Food in Amerika. Als der Krieg begann, wurden Hamburger wegen ihrer Verbindung zu Deutschland boykottiert. Sie wurden stattdessen sogar Liberty Steaks genannt.

Vokabular

(der) Marinestützpunkt naval base
zerstört (zerstören) to destroy
einstellten (einstellen) to cease, to discontinue
entwaffnen to disarm
(der) Überraschungsangriff surprise attack
(die) Verteidigung defense
vorbereitet (vorbereiten) to prepare
(der) Heimaturlaub home leave
(die) Treibstoffreserven fuel reserves
kurzfristig short-term
(das) Ausmaß extent, scale

3.6. WIE KAM ES ZUR SCHLACHT VON MIDWAY?

- *Die Midway Islands sind ein kleines US-Territorium im Pazifik. Ab Anfang des 20. Jahrhunderts wurde es als Militärhafen genutzt.*
- *Es gab eine See- und Luftschlacht zwischen den Vereinigten Staaten und Japan, die entschied, wer den Pazifik dominieren würde.*
- *Die Vereinigten Staaten gewannen, indem sie einen Großteil der japanischen Marine und Luftwaffe zerstörten.*

Die Mikuma kurz vor dem Sinken während der Schlacht von Midway im Zweiten Weltkrieg (Foto von goodfreephotos.com)

Die Schlacht von Midway war ein bedeutendes Ereignis in der Entwicklung des Pazifikkriegs. Während dieser Konfrontation gelang es den Vereinigten Staaten, die japanischen Streitkräfte zu schwächen.

VOR DER SCHLACHT

Sechs Monate nach Pearl Harbor hatten die Japaner fast jede britische, niederländische und amerikanische Kolonie im asiatisch-pazifischen Raum erobert. Damit hatte Japan seine **Herrschaft** von Hawaii bis nach Ceylon **ausgedehnt**.

Der **Zusammenstoß** zwischen Japanern und Amerikanern war jedoch unvermeidlich. Daher organisierten die japanischen Kommandeure einen Angriff auf den stärksten Marinestützpunkt der Vereinigten Staaten. Die Japaner entschieden sich für die Basis auf den Midwayinseln, wo es zu einer großen Schlacht kam.

DIE MIDWA-INSELN

Der amerikanische Kapitän Brook **beanspruchte** am 5. Juli 1859 die Midway Islands für die Vereinigten Staaten. Das Atoll besteht aus zwei kleinen Inseln: East Island und Sand Island. Zusammen sind sie 6,2 Quadratkilometer groß.

Viele Jahre lang hatten sie keinen besonderen **Zweck**, aber 1903 stellte Präsident Theodore Roosevelt die Inseln unter die **Verwaltung** der Marine.

Von diesem Zeitpunkt an diente Midway als Zwischenstation für das Seekabel, das von Hawaii zu den Philippinen führte. Im Jahr 1935 wurden die kleinen Inseln zu einem obligatorischen Zwischenstopp auf Flügen über den Pazifik.

Ab dem Zweiten Weltkrieg wurde Midway für strategische Zwecke genutzt. Im Jahr 1940 wurden Luft- und U-Boot-Stützpunkte sowie drei **Landebahnen**, ein **Kraftwerk** und eine **Funkstation** installiert. Aus diesem Grund erkannte Japan bald, wie wichtig es ist, diese Inseln anzugreifen und so die eigene **Vorherrschaft** im Pazifik zu sichern.

Im Jahr 1942 setzte die japanische Marine einen Großteil seiner Flotte ein, um die amerikanischen Kriegsschiffe zu zerstören und die Midway-Inseln zu erobern. Kapitän Yamamoto entsandte 4 schwere **Flugzeugträger**, 2 leichte Flugzeugträger, 7 Schlachtschiffe, 15 **Kreuzer**, 42 Zerstörer, 10 U-Boote sowie mehr als 400 Kampfflugzeuge. Das US-Militär entsandte deutlich weniger Truppen und war daher **unterlegen**.

Die Schlacht um Midway begann am 3. Juni 1942. Ein amerikanisches **Aufklärungsflugzeug** entdeckte die japanische Flotte etwa 500 Meilen von Midway entfernt. Die Amerikaner versuchten, die sich nähernden Schiffe aus der Luft anzugreifen, konnten sie jedoch nicht aufhalten.

Am nächsten Tag, dem 4. Juni 1942, ging der Kampf weiter. Die Japaner griffen die Midway Islands mit Flugzeugen an. Der Angriff dauerte anderthalb Stunden. Es gelang den

Japanern, viele der militärischen Einrichtungen der Inseln durch Bombenangriffe zu zerstören.

Jedoch wurden die Landebahnen nicht angegriffen, da die Japaner beabsichtigten, sie nach dem Ende der Invasion selbst zu nutzen. Trotz der amerikanischen Verteidigung verloren die Japaner nur 10 Kampfflugzeuge.

Nach dem ersten japanischen Angriff begann die Luftschlacht der Schlacht von Midway. Von den 41 von US-Flugzeugen durchgeführten Angriffen kehrten nur sechs Flugzeuge zurück. Keines der Flugzeuge hatte sein Ziel getroffen. Die japanischen Flugzeuge konnten zwar ebenfalls keine amerikanischen Schiffe **versenken**, waren aber **treffsicherer**. Daher schienen die Japaner zunächst die Schlacht um Midway zu gewinnen.

Plötzlich nahm der Kampf eine **überraschende Wendung**. Die Amerikaner griffen mit 17 Flugzeugen an, die mehrere Bomben nach einem **Sturzflug** aus etwa 5.800 Metern abwarfen. Dieser Angriff war sehr effektiv und versenkte zwei japanische schwere Flugzeugträger sowie alle darauf stationierten Flugzeuge. Dank dieses Angriffes gelang es den Amerikanern, die japanische Invasion zu stoppen.

Die US Navy und US Air Force haben die Schlacht um Midway aus zwei Hauptgründen gewonnen:

1. Die Amerikaner **knackten** vor dem Kampf den japanischen Funkcode. So wussten sie genau, wann und wo der Angriff starten würde und hatten viel Zeit, um ihre Verteidigung und ihren Gegenangriff zu planen.

2. Die Japaner **verließen** sich auf ihre große Anzahl von Flugzeugen und machten mehrere strategische Fehler. Beispielsweise verteilten sie ihre Streitkräfte auf verschiedene Gebiete des Pazifiks, während die Vereinigten Staaten ihre gesamten Streitkräfte auf Midway konzentrierten. Gleichzeitig griffen die Japaner mit all ihren Flugzeugen gleichzeitig an, was die Flugzeugträger zu einem leichten Ziel machte.

Mehrere amerikanische und japanische Kriegsschiffe gingen in der Schlacht um Midway verloren, was zu einer militärischen Katastrophe für die japanische Marine führte. Darüber hinaus verlor Japan 280 Flugzeuge, während die Vereinigten Staaten 179 Flugzeuge **abschreiben** mussten. Es gab auch menschliche Verluste: Auf japanischer Seite starben 3.500 Seeleute und Piloten, während auf amerikanischer Seite 307 Militärangehörige starben.

Der Sieg in der Schlacht um Midway war für die Alliierten sehr **vorteilhaft**. Schließlich wurde der japanische Vormarsch im Pazifik gestoppt, da sie nicht mehr genügend Flugzeugträger oder Kampfflugzeuge hatten. Von diesem Moment an begannen die US-Truppen, die von den Japanern besetzten Inseln zurückzuerobern.

Wusstest du schon?

Während des Zweiten Weltkriegs rationierten Soldaten Toilettenpapier. Britische Soldaten hatten Anspruch auf 3 Blatt Toilettenpapier pro Tag. Amerikaner hatten Anspruch auf 22 Blatt pro Tag.

Vokabular

(die) Herrschaft domination, rule
ausgedehnt (ausdehnen) to expand, to extend
(der) Zusammenstoß collision, clash
beanspruchte (beanspruchen) to claim
(der) Zweck purpose, aim
(die) Verwaltung administration, management
(die) Landebahn runway
(das) Kraftwerk power plant
(die) Funkstation radio station
(die) Vorherrschaft supremacy
(der) Flugzeugträger aircraft carrier
(der) Kreuzer cruiser
unterlegen inferior
(das) Aufklärungsflugzeug reconnaissance aircraft, spy plane
versenken to sink
treffsicher accurate
(die) überraschende Wendung surprising turn
(der) Sturzflug nosedive
knackten (knacken) to crack
verließen sich auf (sich verlassen auf) to rely on
abschreiben to write off
vorteilhaft advantageous

3.7. WIE GEWANNEN DIE BRITEN DIE SCHLACHT VON EL ALAMEIN?

- *El Alamein ist eine Wüste, die 150 Kilometer von Kairo (Ägypten) entfernt liegt.*
- *Die Schlacht war im Zweiten Weltkrieg entscheidend. Sie markierte den Beginn des Rückzugs der Achsenmächte aus Nordafrika.*
- *Im Kampf trafen die britische 8. Armee und das Afrikakorps unter Führung des deutschen Generals Erwin Rommel aufeinander. Nach einem harten Kampf gewann die britische Armee.*

Die Schlacht von El Alamein fand im Oktober 1942 in Nordafrika zwischen den Achsenmächten und den Alliierten statt. Diese Schlacht sollte bestimmen, wer Nordafrika kontrollieren würde. Dieser Ort war wichtig, um das mediterrane Europa zu verteidigen beziehungsweise anzugreifen und die Ölversorgung **aufrechtzuerhalten**.

Im Februar 1941 wurde der deutsche General Erwin Rommel zum Kommandeur des *Afrikakorps* (der Armee der Achsenmächte in Nordafrika) ernannt. Er wurde nach Nordafrika versetzt, nachdem die Briten bereits die Italiener in verschiedenen Schlachten besiegt hatten. Auf der anderen Seite stand die achte britische Armee unter der Führung von General Montgomery.

Die Schlacht von El Alamein bestand aus zwei Phasen: Die erste fand im Juni und die zweite im Oktober 1942 statt. In der ersten Phase startete General Rommel einen Angriff auf die britischen Truppen, die in der Nähe von Kairo stationiert waren. In der zweiten Phase griff die britische Armee unter General Montgomery die italienisch-deutschen Truppen an.

DER ERSTE KAMPF

Die erste Schlacht von El Alamein begann, als sich deutsche und italienische Truppen der libyschen Stadt Tobruk näherten. Dort zerstörten die Achsenmächte den Großteil der britischen Panzer in der Gegend.

Im Verlauf der Schlacht zogen die Deutschen und Italiener in Richtung der ägyptischen Hauptstadt, um gegen die britischen Verteidigungstruppen zu kämpfen, die **sich** in der Wüste von El Alamein **befanden**. Die Schlacht dauerte ungefähr 15 Tage, ohne dass eine Seite einen deutlichen Sieg erzielte. Die Schlacht endete damit, dass die Truppen des *Afrikakorps* in einer defensiven Position **ins Stocken gerieten**. In dieser ersten Phase verloren die Alliierten 13.000 Soldaten und 150.000 weitere wurden verwundet. Die Achsenmächte verloren 10.000 Soldaten und hatten 96.000 **Verwundete** zu beklagen.

Einen Monat lang bereiteten sich beide Seiten auf die zweite Schlacht von El Alamein vor. Die britische 8. Armee organisierte eine bessere Verteidigungslinie, die das

Eindringen von Panzern und anderen **Bodenfahrzeugen** verhinderte.

Gleichzeitig legte das *Afrikakorps* Tausende von Antipersonen- und Anti-Panzer-Minen in der gesamten Region. Diese Minen detonierten, sobald eine Person oder ein Panzer in Kontakt mit der Mine kam.

DIE ZWEITE SCHLACHT

Die zweite Schlacht von El Alamein begann im September 1942. Die Briten griffen zuerst an, während die Deutschen und Italiener ihre Verteidigungspositionen einnahmen.

Der Vormarsch der britischen Truppen war aufgrund der großen Gegenmacht der Deutschen und Italiener sehr langsam. Zunächst schien es, als würden die Achsenmächte den britischen Truppen nicht **nachgeben**. Als jedoch australische und neuseeländische Infanterietruppen zur Unterstützung hinzustießen, gelang es den Alliierten, die deutschen Truppen zu besiegen.

Hitler befahl General Rommel, sich nicht aus der Wüste El Alamein zurückzuziehen, obwohl die Schlacht für die Deutschen bereits verloren war. Rommel zog sich dennoch am 4. November zurück. In dieser zweiten Phase verloren die Alliierten 4.800 Soldaten, während 9.000 weitere verwundet wurden. Die Achsenmächte hatten 9.000 tote, 15.000 verwundete und 30.000 gefangen genommene Soldaten zu beklagen.

WARUM HABEN DIE ALLIIERTEN GEWONNEN?

Es gibt zwei Hauptgründe für den Sieg der Alliierten in der Schlacht von El Alamein:

1. **Die Ankunft der Verstärkungstruppen**: Die etwas mehr als einen Monat dauernde Pause zwischen der ersten und der zweiten Phase der Schlacht ermöglichte es der britischen Armee, sich Verstärkung zu organisieren und sich besser vorzubereiten (hauptsächlich dank der australischen und neuseeländischen Truppen). Auf diese Weise stellten die Briten mehr als doppelt so viele Truppen zusammen wie die Deutschen und Italiener: 230.000 Soldaten und 1.440 britische Panzer im Vergleich zu den 80.000 Soldaten und 540 Panzern der Achsenmächte.

2. **Die Hilfe aus der Luft:** Die ständigen Angriffe der alliierten Luftwaffe verhinderten das Eintreffen des **Nachschubs** für die deutschen Truppen. Fast alle deutschen und italienischen Schiffe, die das Mittelmeer zu überqueren versuchten, wurden von den Alliierten angegriffen. Aus diesem Grund begann im Oktober 1942 der deutsch-italienischen Armee, Nahrung, Treibstoff und Munition auszugehen.

DIE FOLGEN DIESER SCHLACHT

Die wichtigste **Errungenschaft** der Alliierten in der Schlacht von El Alamein war die **Vertreibung** der

Deutschen und Italiener aus dem strategisch wichtigen Nordafrika.

Nachdem sie Nordafrika kontrolliert hatten, konnten die Alliierten von dort aus später in Italien einmarschieren. Darüber hinaus zwang die Schlacht von El Alamein Hitler, seine Truppen zwischen der Sowjetunion und Nordafrika aufzuteilen. Dies schwächte die Schlagkraft der Deutschen sowohl an der West- als auch an der Ostfront.

Die Schlacht von El Alamein war der erste britische Sieg überhaupt in dem seit drei Jahren andauernden Krieg gegen Italien und Deutschland. Dies hob die Stimmung der britischen Bevölkerung und der britischen Armee. Sogar Winston Churchill erkannte, dass der Sieg bei El Alamein der Beginn einer Reihe von Triumphen war, die die Alliierten zum Sieg im Zweiten Weltkrieg führten.

Wusstest du schon?

Coca-Cola galt für die amerikanischen Truppen als unverzichtbar, sodass sie während der Besetzung Nordafrikas drei Abfüllfabriken für Coca-Cola errichteten.

Vokabular

aufrechtzuerhalten (aufrechterhalten) to maintain
sich befanden (sich befinden) to be located, to be situated
ins Stocken gerieten (ins Stocken geraten) to stall
(die) Verwundeten injured people
(das) Eindringen infiltration, penetration
(die) Bodenfahrzeuge ground vehicles
nachgeben to give in, to yield
(der) Nachschub replenishment, supplies
(die) Errungenschaft achievement
(die) Vertreibung expulsion, eviction
unverzichtbar indispensable
(die) Abfüllfabrik bottling factory
errichteten (errichten) to put up, to set up

3.8. WIE KONNTE DIE DEUTSCHE WEHRMACHT IN STALINGRAD VERLIEREN?

- *Stalingrad war eine Stadt in der Sowjetunion, die zu Ehren Stalins seinen Namen trug.*
- *Dort fand die größte und heftigste Schlacht des gesamten Zweiten Weltkriegs statt.*
- *Während dieser Schlacht verteidigten die sowjetischen Truppen die Stadt erfolgreich vor der deutschen Invasion.*

Bild 1 Pawlow-Haus in Stalingrad während des Zweiten Weltkriegs (Foto auf goodfreephotos.com)

Die Niederlage der Deutschen bei Stalingrad markierte den Beginn des Sieges der Alliierten. Diese Schlacht war eine der größten und tödlichsten des gesamten Krieges.

Die deutschen Truppen drangen über die Krim an der Südfront in die Sowjetunion ein und eroberten die Stadt Rostow. Im August 1942 war es das Ziel der Deutschen, auch Stalingrad mit dieser Taktik zu erobern. Die sowjetischen Truppen **weigerten sich** jedoch, die Stadt den Deutschen zu **übergeben**. Obwohl die Stadt in kürzester Zeit zerstört wurde, leisteten die sowjetischen Truppen Widerstand und griffen mit aller Kraft an. Schließlich gelang es den Russen, die deutsche Invasion zu stoppen.

WARUM WOLLTEN DIE DEUTSCHEN STALINGRAD EROBERN?

Stalingrad war für die Deutschen wichtig, weil es eine Industriestadt war, in der Waffen und Traktoren hergestellt wurden. Darüber hinaus hätte Stalingrad als **Ausgangspunkt** für eine weitere Invasion in Richtung Moskau dienen können. Zudem wäre die Eroberung der Stadt eine hervorragende Nazi-Propaganda gegen Stalin gewesen, da die Stadt zu Ehren Stalins nach seinem Namen wurde.

DER ANFANG DER BELAGERUNG

Im Juli 1942 befahl Hitler gleichzeitig den Einmarsch

in Stalingrad und in den Kaukasus. Dazu teilte Hitler seine Armee in zwei Teile. Diese Entscheidung war ein strategischer Fehler, da Hitler nicht glaubte, dass die Sowjets Stalingrad um jeden Preis verteidigen würden.

Als Reaktion auf die deutsche Offensive befahl Stalin der Roten Armee, eine Verteidigungsfront in Stalingrad zu bilden. Diese Front bestand aus drei verschiedenen Bodendivisionen und zwei Divisionen der russischen Luftwaffe.

Außerdem ordnete Stalin den **Befehl** Nr. 227 an. Er besagte, dass sich kein Soldat ergeben oder aus dem Kampf zurückziehen dürfe. Jenes würde als **Verrat** angesehen werden, was automatisch die **Hinrichtung** des Soldaten mit sich brächte. Der Befehl **untersagte** auch die Evakuierung von Zivilisten aus der Stadt. Stalin dachte, dass die russischen Truppen viel motivierter zum Kampf wären, wenn sie wüssten, dass sie sich nicht ergeben könnten und dass sie die Einwohner der Stadt verteidigten.

DIE ANGRIFFE

Am 23. August 1942 marschierten deutsche Truppen von Norden her in die Stadt ein. Die deutsche Luftwaffe griff einen Großteil der Stadt an und zerstörte die meisten Gebäude.

Trotz dieses ersten Angriffs leisteten die sowjetischen Truppen energischen Widerstand. Sie versammelten sich vor der Wolga, von wo aus sie mit kleinen Booten mit

Lebensmitteln und Munition versorgt wurden.

Die Schlacht fand innerhalb der Stadt Stalingrad statt, wobei sich kleine **befeindete** Truppen aus kurzer Entfernung gegenseitig angriffen, sodass Soldaten beider Seiten auf den Straßen und hinter zerstörten Gebäuden **Deckung** suchten.

Während der Schlacht umzingelten die Deutschen die Sowjets. Allerdings waren die deutschen Truppen bereits stark geschwächt, als der strenge russische Winter begann.

DER RUSSISCHE GEGENANGRIFF

Der sowjetische Gegenangriff begann am 19. November 1942. Diese Reaktion überraschte die Deutschen und sie glaubten nicht, dass die Sowjets mit einer so großen Zahl von Soldaten angreifen würden.

Die Russen griffen den Schwachpunkt der Wehrmacht an: die **Nachschublinien**, die die Stadt Stalingrad umgaben, in denen sich **Vorräte**, **Treibstoff** und Lebensmittel befanden. Diese Truppen bestanden aus müden italienischen, rumänischen und ungarischen Soldaten ohne angemessene Ausrüstung für den russischen Winter. Der sowjetische Gegenangriff war erfolgreich, sodass die Rote Armee die Wehrmacht einkreisen konnte.

Obwohl er keine Verstärkung schicken konnte, befahl Hitler der Wehrmacht, sich nicht zu ergeben. Stattdessen schickte er Nachschub über Flugzeuge, die Kisten mit

Lebensmitteln, Munition und medizinischen **Hilfsgütern abwarfen**. Der Nachschub reichte jedoch nicht aus.

Der Kampf dauerte noch bis Dezember 1942 und Januar 1943, als einer der kältesten Winter der russischen Geschichte einsetzte.

Der Winter war so kalt, dass die Wolga zufror und eine Brücke bildete, auf der weitere sowjetische Verstärkung den Fluss überqueren konnte. Dies war entscheidend für die deutsche Niederlage von Stalingrad. Hitler befahl seinen Truppen, im Kampf zu sterben. Die Deutschen **missachteten** jedoch seine Befehle und ergaben sich am 31. Januar.

DIE FOLGEN DER SCHLACHT VON STALINGRAD

Dank des Sieges in der Schlacht von Stalingrad waren die Alliierten in einer exzellenten Ausgangsposition. Bis zu diesem Moment schienen die Deutschen unbesiegbar, aber diese Schlacht hob die Moral der sowjetischen Armee. Nun begannen die russischen Soldaten mit ihrem gewaltigen Gegenangriff und eroberten die von den Deutschen besetzten Gebiete zurück.

Während der fünfmonatigen Schlacht von Stalingrad kamen viele Menschen ums Leben. Die Rote Armee verlor 1.100.000 Soldaten und 40.000 Zivilisten. Bei den Achsenmächten kamen 323.000 deutsche sowie 450.000 italienische, rumänische und ungarische Soldaten ums

Leben. Die Sowjets nahmen zudem 91.000 deutsche Soldaten gefangen. Nur 6.000 dieser Gefangenen konnten ein Jahrzehnt später nach Deutschland zurückkehren.

Wusstest du schon?

Im Jahr 1945 ernannte die UdSSR Stalingrad zur Heldenstadt der Sowjetunion, in der die kriegerischen Erfolge gegen die Deutschen begannen. 1959 begann der Bau einer riesigen, 85 Meter hohen Statue. Der Name dieser Statue lautet Mutter-Heimat-Statue. Dieses Denkmal stellt eine geflügelte weibliche Figur dar, die ein Schwert hält. Es wurde 1967 fertiggestellt und erinnert an die Helden der Schlacht von Stalingrad.

Vokabular

weigerten sich (sich weigern) to refuse
übergeben to hand over, to transfer
(der) Ausgangspunkt starting point
(die) Belagerung siege
(der) Befehl order
(der) Verrat treason
(die) Hinrichtung execution
untersagte (untersagen) to prohibit
befeindete enemies
(die) Deckung cover
(die) Nachschublinien supply lines
(die) Vorräte supplies, reserves
(der) Treibstoff fuel
(die) Hilfsgüter relief supplies
abwarfen (abwerfen) to drop, to throw off
missachteten (missachten) to disregard, to ignore
(das) Denkmal monument, memorial
geflügelte winged
(das) Schwert sword

3.9. WAS WAR DER „D-DAY"?

- *Der „D-Day" ist auch als Operation Overlord oder als Landung in der Normandie bekannt.*
- *Es war der Plan der Alliierten vom 6. Juni 1944 zur Rückeroberung Westeuropas.*
- *Amerikanische, britische und kanadische Truppen befreiten im August 1944 ganz Nordfrankreich.*

Landungsboot mit Truppen am Omaha Beach am D-Day im Zweiten Weltkrieg auf goodfreephotos.com

Der „D-Day“ im Juni 1944 war ein Plan der Alliierten zur Rückeroberung Westeuropas und insbesondere Frankreichs. Im August 1944 gelang es den Alliierten, die Kontrolle über Nordfrankreich zurückzuerhalten.

Nach dem Einmarsch in Frankreich versuchten die Deutschen, Großbritannien zu erobern, um die absolute Kontrolle über ganz Europa zu haben.

Nazideutschland gelang es jedoch nie, auf die britischen Inseln vorzudringen. Während des gesamten Zweiten Weltkriegs war Großbritannien die größte Bedrohung für die Deutschen.

Aufgrund seiner strategischen geografischen Lage in Westeuropa wurde England als **Ausgangspunkt** für den „D-Day“ ausgewählt. Von dort starteten auch Kampfflugzeuge und Bomber, die innerhalb von Stunden jeden Teil Europas erreichen konnten. Hitler wusste, dass die Alliierten versuchen würden, von Großbritannien nach Frankreich überzusetzen und die westliche Front zu reaktivieren.

Der „D-Day“ wird auch als Landung in der Normandie oder Operation Overlord bezeichnet und war der Plan der Alliierten, die Kontrolle über Nordfrankreich zurückzuerhalten.

DER SCHLACHTPLAN

Die Alliierten hatten die Invasion der Normandie lange

geplant. Sie haben den Plan jedoch mehrmals **verschoben**. Die Invasion Nordfrankreichs war kein Kinderspiel. Neben dem schlechten Wetter mussten auch zahlreiche Armeen, Ressourcen und Taktiken koordiniert werden.

Zunächst versuchten die Briten im Jahr 1942, die deutschen und italienischen Truppen aus Nordafrika zu vertreiben. Ein Jahr später hatte die Invasion Italiens über Sizilien **Vorrang**. Schließlich beschlossen Roosevelt, Stalin und Churchill, die Befreiung Frankreichs und die Reaktivierung der Westfront an der Normandie auf Mai 1944 zu verschieben. Die Operation wurde jedoch wegen schlechten Wetters erst am 6. Juni 1944 **durchgeführt**.

Die Landung in der Normandie wurde von General Eisenhower der US-Armee angeführt, der kurz vor dieser großen Militäroperation zum Obersten Befehlshaber der Alliierten Expeditionsstreitkräfte befördert wurde.

Da Hitler wusste, wann die Invasion der Alliierten in Frankreich stattfinden würde, begannen die Deutschen mit den Vorbereitungen. So begannen sie, 50 Millionen **Sprengfallen** und Minen an den Küsten Nordfrankreichs zu platzieren. Außerdem befestigten sie die französische Küste, indem sie **Geschütze** und Maschinengewehre an ihr platzierten. Diese Strategie hatte zwei Ziele: zu verhindern, dass alliierte Truppen an den Küsten landen und ihre Schiffe zu versenken. Der deutsche Plan war jedoch wegen Versorgungs- und Transportproblemen sowie Personalmangel nicht von Erfolg gekrönt.

DER D-DAY

Die britische und amerikanische Air Force setzte zwischen dem 1. April und dem 5. Juni 11.000 Kampfflugzeuge ein. Diese warfen 195.000 Tonnen Sprengstoff auf deutsche Stützpunkte in Frankreich ab und zerstörten Landebahnen, Radargeräte und Militärbasen entlang der französischen Küste.

Diese Luftangriffe dienten nicht nur der **Zerstörung** deutscher Militäranlagen, sondern sollten **Verwirrung** bei den Deutschen verursachen. Mehr als die Hälfte der Bomben wurden weit entfernt von der Normandie abgeworfen. Somit dachten die Deutschen, dass die Landung der Alliierten vielleicht woanders stattfinden würde. Hitler war sogar der Ansicht, dass der Angriff in Pas-de-Calais und nicht in der Normandie zu erwarten sei.

Am D-Day selbst nahmen nur wenige Fußsoldaten, Lufteinheiten und Panzertruppen teil. Genauer gesagt waren es fünf Infanteriedivisionen, von denen zwei aus den Vereinigten Staaten, zwei aus Großbritannien und eine aus Kanada stammten. Hinzu kamen zwei Divisionen der US Air Force und eine Panzerdivision. Diese ersten Truppen ermöglichten in den folgenden Tagen die Landung von 6.800 Soldaten und den Einsatz von bis zu 13.000 Kampfflugzeugen.

Die Landung war erfolgreich, obwohl sich die Deutschen tapfer verteidigt haben. Zwischen Juni und Juli 1944 kam es an der französischen Küste zu schweren Gefechten.

Die Deutschen griffen effektiv an und es schien, als würden sie die Schlacht gewinnen. Das sollte sich jedoch ändern. Hitler befahl, das Oberkommando zu ersetzen, weil er dessen Loyalität vermisste. Wegen dieser Änderung hatten die deutschen Truppen zeitweise keinen Anführer, was sich negativ auf ihre Angriffe **auswirkte**.

Die Alliierten **nutzten** diese Krise des deutschen Oberkommandos voll **aus**. Schon wenige Wochen nach dem D-Day hatten die Alliierten bereits 326.000 Soldaten mit Panzern und schweren Lastwagen nach Frankreich gebracht. Am Ende der gesamten Operation befanden sich mehr als drei Millionen Soldaten in der Normandie.

DIE FOLGEN DER SCHLACHT

Dank des D-Day eroberten die Alliierten in wenigen Wochen fast ganz Nordfrankreich zurück. Bereits am 25. August 1944 wurde Paris zurückerobert.

Außerdem gelang es den Alliierten, die **Startvorrichtungen** zu zerstören, von denen aus die deutschen V1- und V2-Raketen abgefeuert wurden, die während der Luftschlacht um England zahlreiche Gebäude zerstörten und für Angst und Schrecken sorgten. Schließlich erlaubte die **Rückeroberung** Frankreichs auch die baldige Eroberung von Brüssel und Antwerpen.

Wusstest du schon?

Der D-Day war von 1950 bis heute das Motiv für über 20 Filme und Videospiele!

Vokabular

verschoben (verschieben) to postpone
(der) Vorrang priority
durchgeführt (durchführen) to carry out, to execute
(die) Sprengfallen booby traps
(die) Geschütze guns
(die) Zerstörung destructions
(die) Verwirrung confusion
auswirkte (auswirken) to affect
nutzen aus (ausnutzen) to exploit, to take advantage of
(die) Startvorrichtungen starting device
(die) Rückeroberung recapture

3.10. WAS GESCHAH IN HIROSHIMA UND NAGASAKI?

- *Nach dem D-Day schien der Zweite Weltkrieg in Europa bereits gewonnen, aber Japan hatte noch nicht kapituliert.*
- *Um den Krieg zu verkürzen, beschlossen die Vereinigten Staaten, am 6. August 1945 erstmals eine Atombombe abzuwerfen. Ziel war die japanische Stadt Hiroshima.*
- *Drei Tage später warfen die Vereinigten Staaten eine weitere Atombombe auf Nagasaki ab.*
- *Aufgrund der großen Zerstörungskraft dieser beiden Atombomben kapitulierte Japan am 2. September 1945 bedingungslos.*

Wie bereits erwähnt, war der Pazifikkrieg ein wichtiger Schauplatz des Zweiten Weltkriegs. Dort kämpften die Alliierten gegen die japanischen Truppen.

Ab 1943 verstärkten Großbritannien und die Vereinigten Staaten ihre Angriffe auf Japan. Die japanische Armee überfiel bis dahin mehrere Gebiete des Pazifiks und eroberte Insel für Insel. Die Alliierten begannen, sie Stück für Stück zurück zu erobern. Dieser Prozess wird heute als „Island Hopping" bezeichnet. Die Vereinigten Staaten rückten von den Archipelen des zentralen Pazifiks bis zur japanischen Küste vor.

Während dieser Rückeroberung gab es mehrere Schlachten auf verschiedenen pazifischen Inseln. Einige der wichtigsten waren die Schlacht von Tarawa, Eniwetok, Kwajalein, Iwo Jima und Okinawa. In all diesen Schlachten kämpfte die US-Marine **hauptsächlich** an den Küsten der Inseln.

Obwohl die japanischen Truppen nicht genug Munition oder Nahrung hatten, kämpften sie tapfer. Japanische Soldaten folgten den spirituellen Prinzipien der Samurai. Deshalb zogen sie es vor, **ehrenhaft** im Kampf zu sterben, als zu fliehen und **in Schande** zu leben.

Aus diesem Grund führten japanische Piloten *Kamikaze*-Angriffe durch. Dies waren Selbstmordattentate, bei denen Piloten ihre Flugzeuge in feindliche Schiffe **stürzten**. Zu Beginn des Krieges wurden solche Angriffe von beschädigten Flugzeugen durchgeführt. Als Japan den Krieg verlor, befahlen die Kommandanten den Piloten, ihr Leben für den Sieg zu opfern. Dadurch wurde sichergestellt, dass die Flugzeuge ihr Ziel genau trafen. Viele japanische Piloten starben bei diesen Attacken. Die meisten von ihnen waren neu rekrutierte Piloten.

DIE ATOMBOMBEN VON HIROSHIMA UND NAGASAKI

Die Vereinigten Staaten begannen im Frühjahr und Sommer 1945 mit der Bombardierung der japanischen Inseln. In einer ersten Phase wurden Militärstützpunkte angegriffen. In einer zweiten Phase wurden auch Bomben auf die Zivilbevölkerung geworfen.

Die Vereinigten Staaten bombardierten vor allem Tokio, aber auch andere Großstädte. Bei den Luftangriffen kamen 17.500 Bomber und 160.000 Tonnen Bomben zum Einsatz. Bis zu 350.000 Menschen starben und 2 Millionen Häuser wurden zerstört.

Truman (der amtierende Präsident der Vereinigten Staaten zum Ende des Zweiten Weltkriegs) beschloss, die **neu erfundene** Atombombe einzusetzen. Damit wollte er die Japaner zur schnellen Kapitulation **zwingen** und weitere amerikanische Todesopfer verhindern.

Am 6. August 1945 explodierte um 8:15 Uhr eine Atombombe in der Stadt Hiroshima. Das Stadtzentrum wurde vollständig zerstört und 160.000 kamen sofort ums Leben. Drei Tage später warfen die Vereinigten Staaten eine zweite Atombombe auf die Stadt Nagasaki ab. Da diese am Stadtrand einschlug, starben mit 70.000 Menschen weniger Menschen als in Hiroshima.

DIE FOLGEN DER ATOMBOMBEN

Die **Strahlung verursachte** noch viele Jahre nach dem Abwurf der Atombomben **schwerwiegende Folgen** bei Tausenden von Menschen. Auch die Kinder und Enkelkinder der damaligen Opfer litten an den Folgen der Strahlung.

Aufgrund dieser schweren Verluste verkündete der Kaiser von Japan am 15. August 1945 seinem Volk das Ende des Krieges. Am 2. September kapitulierten die Japaner offiziell in der Bucht von Tokio. So gab Japan seine Vorstellungen von der Eroberung Asiens auf und akzeptierte die Potsdamer Erklärung.

Die Potsdamer Erklärung verpflichtete Japan:

1. Die japanischen Amtsträger zu ersetzen, die das Land in den Krieg geführt haben.

2. Die militärische Besetzung des Landes durch die USA zu akzeptieren, um den Frieden in der Region zu garantieren.

3. Die eigene Armee vollständig zu entwaffnen und Waffen im Land zu verbieten.

4. Kriegsverbrecher vor Gericht zu bringen.

5. Mit dem wirtschaftlichen und industriellen Wiederaufbau Japans zu beginnen.

Wusstest du schon?

Die japanischen Behörden veröffentlichten Filme, Zeitschriften und Comics, damit mehr Mütter Kinder bekamen. Im Gegensatz zu Russen, Amerikanern und Briten rekrutierten die Japaner keine Frauen für das Militär, sondern förderten die Geburtenrate der eigenen Bevölkerung, damit mehr Japaner geboren wurden. Einer der am häufigsten verwendeten Sätze in diesen Kampagnen war: „Wachse und vermehre dich“.

Vokabular

bedingungslos unconditionally
hauptsächlich mainly
ehrenhaft honorable, respectable
in Schande in shame
stürzten (stürzen) to hurl, to fall
neu erfundene newly invented
zwingen to force
(die) Strahlung radiation
verursachte (verursachen) to cause
schwerwiegende serious, grievous
(die) Folgen effects
förderten (fördern) to promote, to help, to boost
vermehre (vermehren) to multiply

3.11. WAS GESCHAH MIT DEN JUDEN WÄHREND DES ZWEITEN WELTKRIEGS?

- *Der Holocaust beschreibt die geplante Ermordung von Millionen europäischer Juden während des Zweiten Weltkriegs.*
- *Die deutsche Armee hat diesen Plan ausgeführt.*
- *Grund war der Hass auf die Juden, von denen sie glaubten, dass sie das deutsche Volk bedrohten. Hinzu kam das Streben nach einer deutschen Vormachtstellung in ganz Europa.*

Auschwitz, Polen; Foto von Frederick Wallace auf Unsplash

Während des Zweiten Weltkriegs begann Hitler, die Juden sowohl in Deutschland als auch in den eroberten Ländern zu verfolgen. Tausende Juden kamen in den **Vernichtungslagern** der Nazis ums Leben.

DIE VERNICHTUNGSLAGER

Die Vernichtungslager waren Orte, an denen Juden **eingesperrt** und getötet wurden. Auch andere Bevölkerungsgruppen wurden verfolgt, eingesperrt und ermordet: Zigeuner, Slawen, Menschen mit **Behinderungen**, Kommunisten, Sozialisten, Zeugen Jehovas und Homosexuelle.

Während des Krieges wussten die Alliierten nichts von der Existenz jener Vernichtungslager. Die sowjetischen Streitkräfte entdeckten die ersten Konzentrationslager im Juli 1944. Zu den allerersten gehörte gleich eines der größten: das KZ Majdanek bei Lublin in Polen.

In Majdanek stießen die Russen auf Hunderte Leichen und sieben Gaskammern. Später wurde bekannt, dass dort 1,5 Millionen Menschen (zumeist Juden) ermordet wurden. Unter den Toten waren auch russische und polnische Kriegsgefangene. Das KZ Majdanek war nur eines von mehr als 20 Vernichtungslagern der Nazis, die in den besetzten Gebieten errichtet worden waren.

Sowjetische Truppen befreiten am 27. Januar 1945 auch Häftlinge aus dem Vernichtungslager Auschwitz. Dort fanden sie Hunderte Häftlinge, die durch Hunger und

Zwangsarbeit krank und völlig **erschöpft** waren. Sie fanden auch die Kleidung anderer Opfer: mehr als 300.000 Herrenanzüge, mehr als 800.000 Damenmäntel und Zehntausende Paar Schuhe.

Im April 1945 befreiten amerikanische und britische Truppen weitere Konzentrationslager.

Am 11. April 1945 befreiten US-Streitkräfte das Lager Buchenwald bei Weimar und retteten 20.000 Gefangene. Die Streitkräfte Großbritanniens befreiten wenige Tage später, am 15. April 1945, das Lager Bergen-Belsen bei Celle. Dort retteten sie etwa 60.000 **Häftlinge**, von denen die meisten schwer an Typhus erkrankt waren. Leider starben viele der **Geretteten** wenig später.

WARUM HABEN DIE NAZIS VERNICHTUNGSLAGER ERRICHTET?

Die Konzentrationslager waren für die Nazis ein wichtiger Bestandteil ihrer sogenannten ***Endlösung***. Während Hitlers Diktatur wurden diese Vernichtungslager gebaut, um der „jüdischen Bedrohung" aus Deutschland und Europa ein Ende zu bereiten.

Während der Überfälle auf seine Nachbarn richtete Deutschland auch viele Ghettos, Durchgangslager und Arbeitslager für Juden und andere **ethnische Minderheiten** in Polen und Russland ein.

Zwischen 1941 und 1944 wurden Millionen Juden in Vernichtungslager deportiert, wo sie **erschossen**, **lebendig verbrannt** oder in Gaskammern ermordet wurden.

Die Historiker aus dieser Zeit haben verschiedene Interpretationen der Judenvernichtung. Es gibt zwei große Lager unter den Historikern:

1. **Diejenigen, die Hitler verantwortlich machen**: Dieses Lager betrachtet Hitler als den Hauptschuldigen und Verantwortlichen für den Holocaust, da Hitler höchstpersönlich antijüdische Ideen im deutschen Volk **salonfähig** gemacht hat.

2. **Diejenigen, die den Holocaust als Folge vieler Faktoren verstehen:** Im Gegensatz zum bereits genannten Lager gibt es Historiker, die Hitler nicht als den **Drahtzieher** des Holocaust betrachten. Diese Experten glauben, dass Hitler einfach die in Deutschland herrschende Gesamtsituation ausgenutzt hat, als er an die Macht kam. Sie glauben daher, dass die Mehrheit der Deutschen damals antisemitische Überzeugungen hatte, die während des Nationalsozialismus noch intensiver wurden.

Derzeit betrachten die meisten Historiker die Ursachen des Holocaust als eine Kombination beider **Sichtweisen**. Die antisemitischen Ideen von Adolf Hitler und der Mehrheit des deutschen Volkes unterstützten die **Ausgrenzung** und **Verfolgung** der Juden während des Zweiten Weltkriegs. Ein großer Teil der Bevölkerung wusste nichts von dem Plan zum Massenmord an Juden in den Vernichtungslagern.

Es darf nicht vergessen werden, dass viele Deutsche den Juden geholfen haben, sich vor den Nazis zu verstecken oder ihnen zu entkommen. Auch Bürger anderer besetzter Länder wie Polen und Russen halfen den **flüchtigen** Juden.

DIE FOLGEN DES HOLOCAUST

Während des gesamten Zweiten Weltkriegs wurden 6 Millionen Juden und hunderttausende Nichtjuden ermordet. Viele von ihnen wurden in Vernichtungslagern oder in ihren eigenen Häusern getötet. Darüber hinaus organisierten die Nazis ein Euthanasieprogramm, bei dem rund 70.000 Menschen mit **angeblichen** körperlichen Behinderungen oder psychischen Erkrankungen umgebracht wurden.

Nach dem Holocaust zogen viele der Überlebenden in Lager für **Vertriebene**, die von den Alliierten **bereitgestellt** wurden. Zwischen 1948 und 1951 wanderten viele von ihnen nach Israel und in die Vereinigten Staaten aus. Die von den Nazis durchgeführte Vernichtung der Juden **löschte** fast alle deutschen und polnischen jüdischen Gemeinschaften **aus**.

Wusstest du schon?

Der Film „Der Pianist" erzählt die Geschichte des polnischen Musikers Władysław Szpilman, über seine Erlebnisse im Zweiten Weltkrieg und wie er dank der Hilfe eines deutschen Offiziers den Holocaust überlebte.

Vokabular

(die) Ermordung assassination, murder
ausgeführt (ausführen) to carry out
bedrohten (bedrohen) to menace, to threaten
(das) Streben pursuit, striving
(die) Vormachtstellung supremacy
(die) Vernichtungslager extermination camps
eingesperrt (einsperren) to imprison, to lock up
(die) Behinderungen disabilities
erschöpft exhausted
(die) Häftlinge prisoners
(die) Geretteten rescued people
(die) Endlösung final solution
(die) ethnischen Minderheiten ethnic minorities
erschossen (erschießen) to shoot
lebendig verbrannt (lebendig verbrennen) to burn alive
salonfähig socially acceptable
(der) Drahtzieher mastermind
(die) Sichtweisen points of view
(die) Ausgrenzung exclusion
(die) Verfolgung persecution
flüchtigen fugitive
angeblichen alleged
(die) Vertriebenen exiled people
bereitgestellt (bereitstellen) to provide, to supply
löschte aus (auslöschen) to erase, to wipe out

3.12. WIE WIRKTE SICH DER SPANISCHE BÜRGERKRIEG AUF DEN ZWEITEN WELTKRIEG AUS?

- *Der Spanische Bürgerkrieg fand zwischen 1936 und 1939 statt.*
- *In diesem Konflikt standen sich die Nationalisten und die Republikaner gegenüber. Auch ausländische Armeen nahmen teil und unterstützten die verschiedenen Lager.*
- *Am Ende gewannen die Nationalisten unter dem Anführer General Francisco Franco.*

Der Spanische **Bürgerkrieg** war eine der bedeutendsten kriegerischen **Auseinandersetzungen** des 20. Jahrhunderts. Obwohl er in Spanien stattfand, beeinflusste seine **Entwicklung** den Beginn des Zweiten Weltkriegs.

Im spanischen Bürgerkrieg trafen zwei Seiten aufeinander: die Faschisten beziehungsweise Nationalisten und die Kommunisten, Sozialisten sowie Republikaner.

DIE URSACHEN DES BÜRGERKRIEGES

Der Bürgerkrieg begann aus mehreren Gründen. Eine der Hauptursachen war die **Unzufriedenheit** der

Bevölkerung mit der Regierung, die im Jahr 1931 eine neue wirtschaftliche Politik verfolgte. Ziel dieser Reform war es, die Folgen der Weltwirtschaftskrise von 1929 zu **lindern**, was jedoch nicht die gewünschte Wirkung hatte. In den ersten Jahrzehnten des 20. Jahrhunderts sanken die Preise für **landwirtschaftliche Produkte** in Spanien dramatisch, die Arbeitslosigkeit stieg und die Produktion von **Eisen** und **Stahl** sank um fast die Hälfte.

Wenige Tage nach der Ermordung von Calvo Sotelo, einem politischen Führer mit konservativen und monarchistischen Ansichten, brach der Bürgerkrieg aus. Die Spanische Republik war nicht in der Lage, die Konflikte Spaniens zu lösen. Der Tod von Calvo Sotelo war der Funke, der den Krieg entfesselte. Angesichts des **Verlustes** dieses politischen Führers schlossen sich die rechten Parteien zusammen, um einen **Staatsstreich** zu planen und eine Regierung ähnlich der Mussolinis in Italien oder der Hitlers in Deutschland zu errichten. Im Beispiel Italiens und Deutschlands sahen sie eine Möglichkeit, die nationale Ordnung in Spanien wiederherzustellen.

Um eine Diktatur zu ermöglichen, organisierte das Militär im Jahr 1936 einen Putsch, der in Pamplona (einer Stadt in Nordspanien) und auf den Kanarischen Inseln begann. Die Rebellen kamen über Marokko nach Spanien und breiteten sich schnell in ganz Spanien aus.

DER KONFLIKT

Im Bürgerkrieg bekämpften sich die Nationalisten und die Republikaner. General Francisco Franco **befehligte** die nationalistische Armee.

Die Nationalisten hatten faschistische, konservative und monarchische Ansichten. Sie erhielten Unterstützung von Deutschland, Portugal und Italien, die Truppen zur Unterstützung nach Spanien entsandten. Deutschland schickte 15.000 Soldaten, um die spanischen faschistischen Soldaten auszubilden. Außerdem stellten sie auch Waffen bereit: Geschütze, Panzer und Bomber. Italien schickte 50.000 Soldaten und 763 Flugzeuge. Portugal entsandte 20.000 Soldaten.

Auf der anderen Seite standen die Republikaner. Sie verteidigten die im Jahr 1931 gegründete Republik. Sie hatten sozialistische Gruppen, Kommunisten, Anarchisten und einige Linksliberale auf ihrer Seite. Ihre Armee erhielt die Unterstützung Russlands und der Internationalen Brigaden. Dabei handelte es sich um ausländische Truppen verschiedener Nationalitäten, die **freiwillig teilnahmen**. Russland schickte 500 Soldaten, 200 Kampfwagen und 4.000 Lastwagen. Darüber hinaus schlossen sich 40.000 Freiwillige aus anderen Ländern den Internationalen Brigaden an und kämpften für die Spanische Republik.

Ende Juli 1936 wurde das spanische Staatsgebiet in zwei Teile geteilt. Die Nationalisten kontrollierten mit fast dem gesamten Norden und Süden die wichtigen landwirtschaftlichen Regionen. Die Republikaner hatten hingegen die Kontrolle über die großen Städte (Barcelona, Madrid und Valencia) und deren Umland erobert. In diesen Städten befanden sich die wichtigsten wirtschaftlichen und politischen Institutionen des Landes.

Der Bürgerkrieg war ein blutiger Kampf. Er endete, als die nationalistischen Truppen im März 1939 Madrid einnahmen. Im Anschluss installierte Francisco Franco eine Militärdiktatur in Spanien.

WIE KONNTEN DIE NATIONALISTEN GEWINNEN?

Der Triumph der Nationalisten in Spanien hatte mehrere Gründe:

1. Franco gelang es, alle rechten Gruppen (die Armee, die Kirche, die Monarchie und die als Falange bezeichnete faschistische Partei) in einer einzigen Front gegen die Republikaner zu **vereinen**.

2. Die Republikaner waren **uneinig** und hatten interne Konflikte. Darüber hinaus hatten viele ihrer Mitglieder keine militärische Ausbildung, was die **Wirksamkeit** republikanischer Angriffe **verringerte**.

3. Die Nationalisten erhielten mehr internationale Hilfe. Deutschland, Italien und Portugal halfen den spanischen nationalistischen Soldaten mit Waffen, Flugzeugen, Panzern und Lebensmitteln.

Als Franco an die Macht kam, setzte er eine faschistische und diktatorische Regierung ein. Der Francoismus war **geprägt** von Repressionen, Militärgerichten und **Massenhinrichtungen** politischer Gegner. Franco regierte Spanien bis zu seinem Tod im Jahr 1975.

Der Spanische Bürgerkrieg beeinflusste den Beginn des Zweiten Weltkriegs. Für die Deutschen war er der ideale **Test**, um sich auf einen Krieg in Europa vorzubereiten.

Viele Spanier nahmen am Zweiten Weltkrieg teil. Franco half Hitler, indem er Truppen der Blauen Division und eine Gruppe von 146 Krankenschwestern an die Ostfront entsandte.

Andererseits schlossen sich viele spanische Republikaner im Exil in Frankreich dem Widerstand an und kämpften gegen die deutsche Besatzung. Die Neunte Panzerkompanie (bekannt als „La Nueve“) spielte eine entscheidende Rolle bei der Befreiung von Paris. Sie bestand ausschließlich aus spanischen Soldaten. Heute ist in der französischen Hauptstadt eine Straße und ein Park nach ihr benannt.

Wusstest du schon?

Einer der wichtigsten Aspekte der deutschen Beteiligung im Spanischen Bürgerkrieg waren ihre Bombentests. Zu diesem Zweck ermächtigte Franco im Mai 1937 die Deutschen, die Zivilbevölkerung von Guernica (einer Stadt in Nordspanien) zu bombardieren.

Valencia war vom 6. November 1936 bis zum 17. Mai 1937 die Hauptstadt Spaniens. Die Regierung der Republik zog in diese Stadt, um ohne Angst vor Angriffen der Franco-Armee weiter regieren zu können. Am 31. Oktober 1937 wurde Barcelona die Hauptstadt des Landes.

Vokabular

(der) Bürgerkrieg civil war
(die) Auseinandersetzungen confrontations
(die) Entwicklung development
(die) Unzufriedenheit discontent
lindern to alleviate, to relieve
(die) landwirtschaftlichen Produkte agricultural products
(das) Eisen iron
(der) Stahl steel
(der) Verlust loss
(der) Staatsstreich coup
befehligte (befehligen) to command
freiwillig teilnahmen (freiwillig teilnehmen) to take part voluntarily
vereinen to unity
uneinig divided
(die) Wirksamkeit effectiveness
verringerte (verringern) to decrease, to reduce
geprägt (prägen) to shape, to coin
(die) Massenhinrichtungen mass executions

4. EINLEITUNG: WIE HAT DER DEUTSCHSPRACHIGE RAUM DEN ZWEITEN WELTKRIEG ERLEBT?

- *Der Zweite Weltkrieg begann offiziell am 1. September 1939, als Deutschland Polen überfiel und als Reaktion darauf Großbritannien und Frankreich Deutschland den Krieg erklärten.*
- *Schon vorher hatte Deutschland sein Staatsgebiet durch die Übernahme deutschsprachiger Gebiete wie im Fall der Annexion Österreichs und des Sudetenlandes im Jahr 1938 erweitert.*
- *Deutschland war in den ersten Kriegsjahren unter anderem deswegen so dominant, weil es über hervorragende Waffen verfügte. Dazu gehörten die Kampfflugzeuge und Bomber der Luftwaffe, die besonders bei der Schlacht um England zum Einsatz kamen, aber auch die tödlichen U-Boote, die alliierte Schiffe torpedierten und die Panzer, die andere Länder förmlich überrollten.*
- *Deutschland hatte seine afrikanischen Kolonien nach dem Ersten Weltkrieg verloren, aber das Afrikakorps gewann unter General Erwin Rommel in einem langen und schwierigen 18-monatigen Feldzug in Nordafrika viele Schlachten gegen die Briten.*
- *Die teilweise deutschsprachigen Länder Liechtenstein, Luxemburg und die Schweiz erklärten ihre Neutralität. Das bedeutete aber nicht, dass sie gegen die Auswirkungen des Krieges immun waren.*

Der Zweite Weltkrieg begann offiziell mit den Ereignissen vom 1. September 1939. An jenem Tag überfiel Deutschland um 04:45 Uhr Polen. Zwei Tage später, am 3. September 1939, erklärten Großbritannien und Frankreich Deutschland deswegen den Krieg. Der Zweite Weltkrieg hatte begonnen.

Deutschland hatte jedoch schon vor September 1939 mehrere Länder überfallen. Wir beginnen unser Kapitel über den deutschsprachigen Raum während des Zweiten Weltkriegs mit einem Blick auf die Expansion Deutschlands vor dem Zweiten Weltkrieg. Am 12. März 1938 marschierte die deutsche *Wehrmacht* in Österreich ein. Am nächsten Tag erklärte Hitler Österreich im sogenannten *Anschluss* als Teil des Deutschen *Reiches*. Sechs Monate später musste die Tschechoslowakei infolge der Münchner Konferenz, an der Großbritannien, Frankreich, Italien und Deutschland teilnahmen, das als *Sudetenland* bezeichnete Gebiet aufgeben. Die Region ist nach den Sudetengebirgen in Nordwestböhmen und Nordmähren benannt. Sic wurdc nach dcr Niederlage Deutschlands im Ersten Weltkrieg an die Tschechoslowakei **übergeben**. Es lebten viele deutschsprachige Menschen in der Region, sodass Großbritannien und Frankreich hofften, einen Krieg vermeiden zu können, indem sie Hitler die Region übergeben würden. Doch dieser Wunsch sollte sich nicht erfüllen.

Als Nächstes werfen wir einen Blick auf die Waffen, mit denen Deutschland in den ersten Kriegsjahren so dominant war. Als der Zweite Weltkrieg begann, war Deutschlands

Luftwaffe die stärkste der Welt. Unter der Führung von Kommandant Hermann Göring flogen über 3 Millionen Männer **Kampfflugzeuge** wie die Messerschmitt Bf 109 oder 110 oder den Bomber Junker Ju 87, der auch „*Stuka*" genannt wurde. Unter Wasser **versenkten** die berüchtigten U-Boote der deutschen Marine mehr als 2.600 alliierte Schiffe. Allerdings waren sie für ihre Besatzung genauso gefährlich wie für die gejagten Handels- und Kriegsschiffe. Fast 70 % der Marinesoldaten, die während des Krieges in U-Booten dienten (28.000 von 40.900 Männern) starben. Die deutschen Panzer terrorisierten viele Nationen, als sie durch die Städte und ihr Umland donnerten. Da die deutsche Armee nach dem Ersten Weltkrieg außer Dienst gestellt worden war, hatte Deutschland neu entwickelte Panzer, die den Alliierten besonders zu Beginn des Krieges **überlegen** waren.

Unser drittes Kapitel beschäftigt sich mit Afrika. Deutschland hatte seine afrikanischen Kolonien wie Togo, Kamerun, Namibia, Tansania, Ruanda und Burundi nach seiner Niederlage im Ersten Weltkrieg verloren. Es war also keine Überraschung, dass Deutschland an der Seite von Italien den Versuch unternahm, Italienisch-Ostafrika zu erweitern. In 18 Monaten besiegte das von General Erwin Rommel geführte *Afrikakorps* die Alliierten in Nordafrika, bevor er im Mai 1943 schließlich kapitulierte. Beide Seiten mussten in der Wüste ernsthafte Herausforderungen meistern. Neben dem Wassermangel **beklagten** beide Seiten glühend heißes Wetter am Tage und Temperaturen **unter dem Gefrierpunkt** in der Nacht.

Der Sand **erschwerte** die Nutzung von Panzern und war auch zu Fuß nur schwer zu **überwinden**.

Zum Schluss betrachten wir die deutschsprachigen Länder, die während des Krieges ihre Neutralität erklärt haben: die Schweiz, Liechtenstein und Luxemburg. In letzter Zeit wurde die schweizerische Neutralität kritisiert. Während des gesamten Krieges lagerten Schweizer Banken Geld, Gold und Gegenstände, die jüdischen Holocaust-Opfern gestohlen worden waren. Sie bewahrten all diese **Wertgegenstände** für die Nazis auf. Genau genommen akzeptierte die Schweizer Regierung sogar Geld und Wertgegenstände von jüdischen Bürgern, die in das neutrale Land fliehen wollten, dann aber nicht einreisen durften. Genau zwischen der Schweiz und Österreich liegt das **Fürstentum** Liechtenstein, das in dieser Zeit praktisch als Schweizer Exklave anzusehen war.

Luxemburg liegt zwischen Belgien, Deutschland und Frankreich und hat sich ebenfalls als neutral bezeichnet. Es wurde jedoch am 10. Mai 1940 von Deutschland überfallen. Die Regierung und die königliche Familie flohen ins Exil und **überließen** die Bevölkerung den Folgen der Invasion. Mehr als 10.000 Bürger mussten für die Deutschen kämpfen. Außerdem wurden 4.000 Juden aus dem Land deportiert, von denen ein Drittel starb. Die Erfahrungen dieser Nationen zeigen, dass es während des Krieges innerhalb Europas keine absolute Neutralität gab.

Wusstest du schon?

Hitler las den Begriff „Drittes Reich" aus einem Buch von 1922, das von einem deutschen Nationalisten namens Arthur Moeller van den Bruck geschrieben wurde. In diesem Werk, das er Das Dritte Reich betitelte, betrachtete der Autor das Heilige Römische Reich, das von 800 bis 1806 im deutschsprachigen Raum bestand, als Erstes Reich. Das Zweite Reich war das von Otto von Bismarck im Jahr 1871 geschaffene Deutschland, das mit dem Versailler Vertrag von 1918 nach dem Ersten Weltkrieg endete.

Vokabular

erweitert (erweitern) to expand
über verfügte (verfügen über) to devree, to order
überrollten (überrollen) to overrun
übergeben to hand over, to transfer
(die) Kampfflugzeuge fighter planes
versenkten (versenken) to sink
überlegen superior
unter dem Gefrierunkt below freezing
erschwerte (erschweren) to hinder, to make more difficult
überwinden to overcome
(die) Wertgegenstände valuables
(das) Fürstentum principality
überließen (überlassen) to leave

4.1. WARUM HABEN DIE DEUTSCHEN ÖSTERREICH UND DAS SUDETENLAND ANNEKTIERT?

- *Nachdem Hitler die Macht übernommen hatte, begann er, eine im Jahr 1901 entstandene Idee zu verfolgen: Lebensraum für das deutsche Volk.*
- *Um diese Idee umzusetzen, brauchte er mehr Land. Er suchte daher zunächst nach Regionen, in denen bereits deutschsprachige Menschen lebten.*
- *Im März 1938 rückte die deutsche Wehrmacht in Österreich ein. Während viele Österreicher die Idee eines Beitritts zum Deutschen Reich begrüßten, flohen jüdische Österreicher und andere kritische Mitbürger, als die Nazis die Kontrolle über ihr Land übernahmen.*
- *Sechs Monate später, im September 1938, traf sich Hitler mit den Führern Großbritanniens, Frankreichs und Italiens in München, um das Sudetenland von der Tschechoslowakei zu erhalten, wo bereits viele Deutsche lebten.*
- *Die Teilnehmer der Münchner Konferenz zwangen die Tschechoslowakei, diese Region Hitler zu überlassen. Sie hofften damit, einen weiteren Weltkrieg zu vermeiden. Der Plan ging nicht auf.*

Der deutsche Geograph Friedrich Ratzel entwickelte 1901 erstmals die Idee des „*Lebensraums*". Er war der Ansicht, dass das deutsche Volk genug Land und Ressourcen brauchte, um sich voll **entfalten** zu können. Hitler nutzte diese Idee, als er an die Macht kam. Er schlug vor, dass Deutschland die Kontrolle über Länder mit vielen Ressourcen übernehmen müsse. Zu diesen Ländern gehörten jene, in denen bereits deutschsprachige Menschen lebten sowie Regionen, die laut Hitler mit minderwertigen Menschen bevölkert waren. Dazu gehörten Menschen jüdischer und slawischer Herkunft.

Zuerst wandte sich Hitler dem Land zu, in dem er geboren worden war: Österreich. Vom Mittelalter bis zum Ersten Weltkrieg hatten die Habsburger über Österreich als Zentrum des **Kaiserreichs** Österreich-Ungarn regiert. Da sich das Kaiserreich im Krieg auf die Seite Deutschlands stellte, wurde es nach seiner Niederlage **zerschlagen**. Die Zeit nach 1918 war sehr turbulent. Viele verschiedene politische Parteien kämpften um die Macht in der neuen Republik. Die Marxisten wollten eine kommunistische Regierung. Die deutschen Nationalisten (die späteren Nazis) wollten hingegen eine faschistische Regierung, während die Sozialdemokraten eine Demokratie **anstrebten**. Sie alle gewannen Sitze im Parlament. Von Natur aus waren ihre Prioritäten sehr verschieden, was zu heftigen **Meinungsverschiedenheiten** führte. Auch der Wirtschaft ging es zu dieser Zeit sehr schlecht. Tatsächlich ging die größte Bank Österreichs durch die Weltwirtschaftskrise **pleite** und musste im Jahr 1931 ihren Bankrott erklären.

Im Jahr 1933, just als Hitler Kanzler in Deutschland wurde, nutzte der damalige österreichische Bundeskanzler Engelbert Dollfuß die politischen **Spaltungen** in der

Regierung aus, um das österreichische Parlament aufzulösen und die Kontrolle über das Land zu übernehmen. Er hat sich den italienischen faschistischen Diktator Benito Mussolini zum Vorbild genommen. Die österreichischen Nationalisten wollten jedoch die Macht für sich selbst und inszenierten einen Staatsstreich. Obwohl dieser Putsch scheiterte, gelang es ihnen, Dollfuß zu ermorden. Sein **Nachfolger** Kurt von Schuschnigg versuchte, die österreichischen Nationalisten zu kontrollieren, indem er am 11. Juli 1936 einen Pakt mit Hitler unterzeichnete. Als Gegenleistung für Hitlers Versprechen, sich nicht in die Regierung einzumischen, erklärte sich Österreich zum „deutschen Staat".

Diese Situation war jedoch nur **vorübergehend**. Einige Jahre später begann Hitler, mehr Kontrolle auszuüben. So zwang er von Schuschnigg, bedeutende österreichische Nazis in seinen Führungsrat zu berufen. Von Schuschnigg unternahm einen letzten Versuch, Hitler am Einmarsch in Österreich zu hindern: Er kündigte für den 13. März 1938 eine Volksabstimmung an. Das Volk sollte entscheiden, ob es von Hitler und den Nationalisten regiert werden oder unabhängig bleiben wollte.

Zwei Tage vor der Abstimmung zwang Hitler von Schuschnigg jedoch zum Rücktritt. Am 12. März marschierte die deutsche Wehrmacht ein. Arthur Seyß-Inquart, der Führer der österreichischen Nationalisten, wurde zum Kanzler erklärt. Er wiederum kündigte den Anschluss an Deutschland an.

Viele Österreicher waren für den Anschluss an Deutschland, wie viele genau ist jedoch umstritten. Nach dem Anschluss hielt die NS-Regierung die **Volksabstimmung** ab, um ihre **Beliebtheit** zu beweisen. Die Ergebnisse zeigten, dass 99 % der Österreicher mit Ja zum Beitritt zu Deutschland gestimmt haben. Diesen Ergebnissen kann jedoch nicht vertraut werden. Österreichische Juden waren besonders besorgt über den Anschluss und durften bei der Volksabstimmung nicht wählen gehen. Im Jahr 1938 lebten fast 200.000 Juden in Österreich. Sie machten fast 4 % der Bevölkerung aus. Die meisten von ihnen lebten in der Hauptstadt Wien, einem Zentrum der Kunst und Kultur. Viele Juden begannen nach dem Anschluss aus Österreich, ins Ausland zu fliehen. Bis Dezember 1939 verließen fast 60.000 Juden das Land.

Hitler war jedoch nicht damit zufrieden, einzig und allein Österreich in das Dritte Reich einzugliedern. Er wollte auch das Sudetenland für sich beanspruchen. In diesem Gebiet in Nordwestböhmen und Nordmähren lebte eine mehrheitlich deutsche Bevölkerung. Es war der Tschechoslowakei nach dem Ende des Ersten Weltkriegs als Teil der Bedingungen der deutschen Kapitulation übergeben worden. Im Sommer 1938 drohte Hitler mit dem Einmarsch in das Sudetenland. Die Tschechoslowakei wandte sich an ihre Verbündeten aus dem Ersten Weltkrieg, insbesondere an Frankreich und Großbritannien. Am 29. und 30. September trafen sich der britische Premierminister Neville Chamberlain, der italienische Diktator Benito Mussolini, der französische Premierminister Édouard Daladier und Hitler in München, um über das **Schicksal** der Tschechoslowakei zu diskutieren. Um einen weiteren Weltkrieg zu vermeiden, beschlossen Daladier und Chamberlain, ihre **Bündnisse** mit der Tschechoslowakei nicht einzuhalten, und zwangen die Tschechoslowakei, das Sudetenland aufzugeben. Im **Gegenzug** versprach Hitler, nicht in andere Länder einzumarschieren. Dieses Abkommen wurde als Münchner Abkommen bekannt. Anfang Oktober 1938 übernahm Deutschland das Sudetenland.

Das Leben in Österreich und im Sudetenland hat sich nach der Übernahme durch Deutschland erheblich verändert. Dies galt insbesondere für die jüdische Bevölkerung dieser Regionen. Eines der schlimmsten Ereignisse, die in diesen Ländern stattfanden, war die **Reichskristallnacht**. Am 7. November 1938 wurde ein deutscher Botschaftsbeamter in Paris von einem jungen polnischen Juden ermordet. Hitler und die Nazis nutzten dieses Ereignis als Vorwand, um jüdische Häuser, Geschäfte und Synagogen anzugreifen. In der Nacht vom 9. auf den 10. November wurden Hunderte von Synagogen niedergebrannt. Das Glas der zerbrochenen Fenster jüdischer Geschäfte säumte die Straßen, woher der Name Reichskristallnacht stammt. Die Nazis meinten, dass 91 Juden bei den Angriffen starben. Die **Dunkelziffer** dürfte mindestens in die Hunderte gehen. In Wien, wo Juden 9 % der Bevölkerung ausmachten, war die Zerstörung besonders schlimm. Bis zu 30.000 jüdische Männer wurden im gesamten Deutschen Reich verhaftet und in Konzentrationslager wie beispielsweise das Arbeitslager Mauthausen in Österreich gebracht.

In den folgenden Wochen wurden im Reich viele antisemitische Gesetze erlassen. Juden konnten keine Schulen und Kinos mehr besuchen oder öffentliche Verkehrsmittel benutzen. Jüdische Unternehmen wurden von Regierungsbeamten übernommen. Viele Juden begannen aus Deutschland, Österreich und dem Sudetenland zu fliehen. Allein aus Österreich flohen zwischen 1938 und 1940 117.000 Juden. Nach Beginn des Zweiten Weltkriegs wurden Deportationen aus diesen Ländern noch häufiger. Bis 1942 lebten nur noch 7.000 Juden in Österreich. Was das Sudetenland betrifft, hinderte das Münchner Abkommen Hitler nicht daran, den Pakt zu brechen. Er fiel im März 1939 in die restliche Tschechoslowakei ein. Wenig später brach der Krieg aus, als Deutschland im September 1939 Polen überfiel.

Hitler benutzte das Konzept des *Lebensraums*, um den Anschluss des deutschsprachigen Österreichs und des Sudetenlandes an das Reich zu rechtfertigen. Obwohl er mit diesen beiden Regionen zufrieden zu sein schien, hatte er immer geplant, in andere Länder einzumarschieren, um dem deutschen Volk mehr Raum zu geben. Dazu würde er nicht nur die Kontrolle über andere Länder übernehmen, sondern auch deren nichtdeutsche Bevölkerung (insbesondere Juden und Slawen) loswerden. Europäische Staatsmänner, die hofften, Hitler würde mit dem Anschluss Österreichs und des Sudetenlandes zufrieden sein, waren nach dem Überfall auf Polen schockiert. Viele Juden und andere Minderheiten der betroffenen Regionen sollten in den kommenden Jahren **leiden**.

Wusstest du schon?

Als Deutschland in den Rest der Tschechoslowakei einmarschierte, wurde das Land nicht annektiert. Stattdessen wurde es ein Protektorat unter der Führung des Nazi-Funktionärs Reinhard Heydrich. Heydrich wurde am 27. Mai 1942 von zwei Widerstandskämpfern namens Jozef Gabčik und Jan Kubis mit Unterstützung der Alliierten ermordet.

Vokabular

annektiert (annektieren) to annex
umzusetzen (umsetzen) to implement
(der) Beitritt joining
entfalten to unfold, to develop
(das) Kaiserreich empire
zerschlagen to break up, to shatter
anstrebten (anstreben) to strive
(die) Meinungsverschiedenheiten disagreements
pleite broke, bust
(die) Spaltungen splitting, division
(der) Nachfolger successor
vorübergehend temporary
(die) Volksabstimmung referendum
(die) Beliebtheit popularity
(das) Schicksal fate
(die) Bündnisse alliances
(der) Gegenzug return
(die) Reichskristallnacht Crystal Night
(die) Dunkelziffer dark figure
leiden to suffer
(die) Widerstandskämpfer resistance fighter

4.2. WAS WAREN EINIGE DER GEFÜRCHTETSTEN UND INNOVATIVSTEN WAFFEN DES DRITTEN REICHES?

- *Als Deutschland im September 1939 Polen überfiel, setzte es viele innovative Waffen ein, die eine wichtige Rolle bei den Erfolgen der Blitzkrieg-Strategie spielten.*
- *Am Boden durchbrachen Panzer die Verteidigung und schufen Angriffspunkte, in die bewaffnete Soldaten schnell eindringen konnten.*
- *Aus der Luft legten Flugzeuge wie die „Stuka" Städte und Dörfer in Schutt und Asche.*
- *Unter Wasser torpedierten U-Boote alliierte Schiffe.*
- *Die V2-Rakete tötete fast 5.000 Europäer und ebnete den Weg für den späteren Wettlauf ins All zwischen den USA und der Sowjetunion während des Kalten Krieges.*

Im Jahr 1935 war Hitler bereits zwei Jahre an der Macht und kündigte an, dass Deutschland die Bedingungen des Versailler Vertrags (insbesondere die Größe des Militärs) nicht mehr respektieren würde. Er schuf eine neue deutsche Armee, die er *Wehrmacht* nannte. Ihre 36 Divisionen nutzten neue Militärtechnologie wie Panzer und Funkkommunikation. Außerdem baute Deutschland seine *Luftwaffe* auf. Hitler befahl zudem den Bau von fast tausend ***Unterseebooten***, die schlicht als U-Boote bezeichnet wurden. Diese Waffen waren grundlegend für Deutschlands frühe *Blitzkrieg*-Erfolge. Wir betrachten diese Waffen nun näher im Detail.

Wir beginnen mit Deutschlands **gefürchteten** Panzern. Genau genommen erfand Großbritannien den ersten Panzer während des Ersten Weltkriegs. Sie rüsteten einen Traktor mit einer Panzerung aus und ersetzten seine Räder durch sich ständig drehende Ketten. Der Zweck dieser Panzer war es, Truppen zu transportieren und sie gleichzeitig mit Panzerung und Feuerkraft zu schützen. Einer der wichtigsten Effekte des Panzers bestand darin, dass er das Tempo des Krieges veränderte. Vor der Erfindung der Panzer konnten sich Armeen nur so schnell bewegen, wie ihre Fußsoldaten marschieren konnten. Das waren höchstens 25 bis 30 Kilometer pro Tag. Dieses Tempo hielten damalige Armeen nur wenige Tage durch, bevor sie sich ausruhen mussten. Panzer hingegen konnten sogar über **Hindernisse** fahren und waren immer **einsatzbereit**, solangc sic Trcibstoff hatten. Deutschlands Panzer (kurz für *Panzerkampfwagen)* konnten mehr als 80 Kilometer pro Tag zurücklegen.

Die Panzer des Ersten Weltkriegs bewegten sich mit 6 bis 8 km/h zu langsam, um großen Schaden anzurichten. Daher kamen sie nur selten zum Einsatz. In den Jahren zwischen dem Ersten und dem Zweiten Weltkrieg entwickelte Deutschland jedoch Panzer, die deutlich schneller waren. Die deutschen Offiziere erkannten, dass Panzer am effektivsten waren, wenn sich Soldaten, Waffen und Munition so schnell bewegen konnten wie die Panzer selbst. Sie schufen daher Panzerformationen, in denen ein Panzer von Autos und Motorrädern umgeben war, die Männer und Vorräte transportierten. Zur Koordination verließen sie sich auf die Funkkommunikation. Zwar gab es im Ersten Weltkrieg bereits Radio, allerdings waren die Deutschen die Ersten, die seine militärische **Bedeutung** erkannten.

Beim *Blitzkrieg* überrollten deutsche Panzer feindliche Gebiete und **überwanden** sogar Hindernisse wie **Stacheldrahtzäune**, um Löcher in die gegnerische Verteidigung zu schlagen. Soldaten in geländefähigen Fahrzeugen folgten und nutzten die Löcher in der Verteidigung, um anzugreifen. Zum Schluss folgten die Artilleriegeschütze. Wenn sich eine neue Situation ergab, ermöglichte die Funkkommunikation den Infanteristen, Panzern und Artillerien, sich schnell anzupassen. Die Panzer der Deutschen waren zudem deutlich fortschrittlicher und moderner als die der Alliierten. Der am meisten gefürchtete Panzer war der Tiger, der im Durchschnitt 5 bis 11 alliierte Panzer zerstörte, bevor er selbst **außer Gefecht gesetzt** wurde.

Die *Luftwaffe* spielte ebenso eine wichtige Rolle beim Erfolg des *Blitzkriegs*. Bomber wie die Junkers Ju 87, die eigentlich „*Sturzkampfflеugzeug*" oder „*Stuka*" hieß, bombardierten in den Jahren 1939 und 1940 viele Städte in Polen und Frankreich. Der Oberbefehlshaber der *Luftwaffe*, Hermann Göring, organisierte seine Flugzeuge in Formationen, die denen der Panzer am Boden ähnelten.

Diese *Luftflotten* bestanden aus in **Geschwadern** fliegenden Jägern und Bombern. Diese Formation funktionierte gut in Europa, wo die *Luftwaffe* ihren Feinden weit überlegen war. Während der Luftschlacht um England und des Blitzkriegs zwischen Juli und Oktober 1940 erwies sich diese Formation jedoch als nicht so nützlich. Die britische Royal Air Force setzte effektivere Formationen ein, die nur aus Kampfflugzeugen oder nur aus Bombern bestanden. Obwohl die *Luftwaffe* zu Beginn des Krieges überlegen war, erwiesen sich britische Flugzeuge wie die *Spitfire* und die *Hurricane* schnell als besonders effektiv.

Der britische Premierminister Winston Churchill fürchtete sich angeblich am meisten vor den deutschen U-Booten. Im Prinzip handelte es sich dabei jedoch um keine richtigen U-Boote. Sie liefen mit **Bleibatterien** und mussten alle paar Stunden zum Aufladen an die **Oberfläche** kommen. Während sie an der Oberfläche mit einer Geschwindigkeit von 17 Knoten pro Stunde fahren konnten, verlangsamte sich diese Geschwindigkeit unter Wasser auf nur noch 8 Knoten. Bis zu 44 Mann passten in ein solch eng bemessenes U-Boot. Während des Zweiten Weltkriegs wurden 1.200 U-Boote gebaut, die insgesamt 2.600 alliierte Schiffe versenkten. Allein in den ersten sechs Monaten des Jahres 1942 gingen 3 Millionen Tonnen Material und 5.000 Mann durch U-Boot-Angriffe verloren. Die meisten Angriffe erfolgten in amerikanischen Gewässern. Aber auch für deutsche Seeleute waren die U-Boote tödlich. Fast 28.000 Männer kamen in den U-Booten ums Leben. Das entspricht fast 70 % der 40.900 Männer, die in ihnen dienten.

Die vielleicht innovativste Waffe der Deutschen war jedoch die V2-Rakete (kurz für *Vergeltungswaffe* 2). Sie war eine ballistische Rakete, die nur zu Flugbeginn von einem Motor angetrieben wurde. Sie funktionierte ähnlich wie ein modernes Space Shuttle. Sie nutzte Raketen zum Start von der Startrampe und ließ sie dann herunterfallen. Einer der Erfinder der V2, Wernher von Braun, war während des Wettlaufs ins All im Kalten Krieg ein wichtiger Ingenieur für die USA.

Während des Zweiten Weltkriegs war die V2 eine gefürchtete und tödliche Waffe, die von fast überall zu Land und zu Wasser abgefeuert werden konnte. Schätzungsweise 5.000 Menschen starben in Großbritannien, Frankreich und Belgien durch V2-Raketenangriffe. Weitere 10.000 bis 20.000 Menschen aus den Konzentrationslagern Buchenwald und Mittelbau-Dora in Mitteldeutschland starben bei der Herstellung dieser Raketen.

Ohne diese innovativen und gefürchteten Waffen zu Lande, in der Luft und unter Wasser hätte Deutschland den Zweiten Weltkrieg nicht mit so vielen erfolgreichen Invasionen und militärischen Siegen begonnen. Der Krieg wäre ohne sie viel früher zu Ende gegangen und Millionen von Menschenleben wären verschont geblieben.

Wusstest du schon?

Das englische Wort für Panzer lautet „Tank". Dies war eigentlich ein Codename, den die Briten benutzten, um ihre neue Erfindung zu verschleiern. So wurden normalerweise nur Wassertanks bezeichnet. Der Name setzte sich jedoch durch und wird noch heute benutzt.

Vokabular

(die) Verteidigung defense
in Schutt und Asche legen to completely destroy something
ebnete (ebnen) to level, to flatten
(der) Wettlauf race
(die) Unterseeboote submarines
gefürchtet feared, dreaded
(die) Hindernisse obstacles
einsatzbereit ready to use
(die) Bedeutung meaning
überwanden (überwinden) to overcome
(die) Stacheldrahtzäune barbed wire fences
außer Gefecht gesetzt (außer Gefecht setzen) to immobilize, to put out of action
(die) Geschwader squadron
(die) Bleibatterien lead-acid batteries
(die) Oberfläche surface

4.3. WAS HAT DEUTSCHLAND WÄHREND DES ZWEITEN WELTKRIEGS IN NORDAFRIKA GETAN?

- *Deutschland verlor nach der Niederlage im Ersten Weltkrieg seine afrikanischen Kolonien. Die Behandlung der Afrikaner unter der deutschen Herrschaft im Südwesten Afrikas ließ jedoch einige Aspekte des Holocaust und der Endlösung erahnen.*
- *Als der Zweite Weltkrieg begann, hatte Deutschland kein Interesse an einem Kampf in Afrika. Das änderte sich, da Italien Kolonien im Osten des Kontinents hatte und begann, dort gegen die Briten zu kämpfen.*
- *Das deutsche Afrikakorps unter der Führung von Feldmarschall Erwin Rommel errang zwischen Februar 1941 und Oktober 1942 eine Reihe von Siegen gegen die Briten in Nordafrika.*
- *Schließlich besiegten die Briten die Deutschen in einem entscheidenden Sieg im November 1942 bei El Alamein in Ägypten. Dieser Sieg war der Anfang vom Ende der deutschen Beteiligung in Afrika.*
- *Rommel zog sich im Mai 1943 aus Afrika zurück und beendete damit den deutschen Feldzug.*

Deutschland war eines der letzten europäischen Länder, das Afrika kolonisierte. Im Jahr 1884 berief der deutsche Kanzler Otto von Bismarck eine Konferenz der europäischen Mächte (die Kongokonferenz) ein, um das verbleibende unbesiedelte Land in Afrika aufzuteilen. Deutschland beanspruchte vier Protektorate: Länder im Westen (das heutige Togo und Kamerun), im Südwesten (das heutige Namibia) und im Osten (das heutige Tansania, Ruanda und Burundi) des Kontinents.

Deutschland musste nach dem verlorenen Ersten Weltkrieg seine Kolonien im Rahmen des Versailler Vertrags aufgeben. Einige Historiker weisen jedoch darauf hin, dass Deutschlands brutale **Unterdrückung** von zwei **Stämmen** im heutigen Namibia (der Herero und Nama) im Jahr 1904 als Inspiration für den späteren Holocaust dienten. Zum Beispiel wurden die Herero und Nama als „Untermenschen" bezeichnet. Dieses Wort wurde später verwendet, um das jüdische Volk während des Zweiten Weltkriegs zu beschreiben.

Eugen Fischer war einer der deutschen Wissenschaftler, der rassistische Ideen entwickelte, nachdem er Afrikaner in den deutschen Kolonien studiert hatte. Er unterrichtete Josef Mengele, also jenen Arzt, der in Auschwitz schreckliche Experimente an Gefangenen durchführte. Der Vater von Hermann Göring, dem späteren Befehlshaber der deutschen *Luftwaffe*, war Kaiserlicher Kommissar der Kolonie. In nur wenigen Jahren wurden fast 80 % des Herero-Stammes (65.000 Menschen) von den Deutschen getötet, nachdem sie sich ihrer Herrschaft widersetzt hatten. Im Jahr 1911 waren von einer Bevölkerung von fast 100.000 Menschen nur noch 15.000 Herero übrig. Nur 10.000 der 20.000 Nama überlebten.

Zu Beginn des Zweiten Weltkriegs hatte Deutschland keine Kolonien mehr und hatte daher auch kein großes Interesse an Afrika. Hitler konzentrierte sich lieber darauf, *Lebensraum* für das deutsche Volk in Osteuropa zu finden. Sein **Verbündeter** Italien verfügte jedoch über Kolonien in Nord- und Ostafrika (das heutige Äthiopien, Somalia, Eritrea und Libyen) und wollte diese Kolonien noch ausweiten. Im September 1940 griff Italien das unter britischer Herrschaft stehende Ägypten an. Die Kämpfe dauerten bis zum 7. Februar 1941, als die Italiener die Schlacht in der libyschen Stadt El Agheila verloren. Neun italienische Divisionen und 130.000 Soldaten wurden gefangen genommen.

Hitler bemerkte, dass Italien dringend Hilfe brauchte. Er schickte Feldmarschall Erwin Rommel mit zwei Panzerdivisionen nach Afrika. Rommel hatte im Jahr 1940 einige beeindruckende Siege in Frankreich errungen, obwohl er häufig Befehle missachtete. Auch in Afrika ignorierte er weiterhin Befehle. Als er in Afrika ankam, wurde ihm befohlen, die verbleibenden italienischen Streitkräfte nach ihrer großen Niederlage zu unterstützen. Doch Rommel bemerkte, dass die Briten Soldaten aus Nordafrika nach Osteuropa verlegt hatten und beschloss, spontan anzugreifen. Er gewann drei Schlachten gegen die Briten und **drängte** sie **zurück** an die ägyptische Grenze. In zwei Wochen legten seine Panzerdivisionen knapp 1.000 Kilometer durch die Wüste zurück.

Plötzlich hatten die Briten in Nordafrika einen ernstzunehmenden Gegner. Das deutsche *Afrikakorps* hatte mit der Struktur seiner Panzerdivisionen einen wichtigen strategischen Vorteil. Die Briten hielten ihre Panzerdivisionen hingegen von ihren Infanterietruppen getrennt. Diese Formation **benachteiligte** die Briten, da sie sich bei einem Angriff nicht gegenseitig zu Hilfe kommen konnten. Die deutschen Panzerdivisionen wurden von der Infanterie begleitet, damit sie sich zusammen koordinieren und gegenseitig unterstützen konnten. Dieser Vorteil und die Entscheidung Großbritanniens, viele seiner Truppen aus Afrika abzuziehen, waren der Grund für Rommels Siege.

Die größte Herausforderung für beide Seiten war jedoch die Beschaffung von Nachschub. Ironischerweise waren sowohl Großbritannien als auch Deutschland nach ihren großen Siegen am **verwundbarsten**. Nachdem Rommel die Briten zum Beispiel an die ägyptische Grenze zurückgedrängt hatte, waren seine Panzerdivisionen zu weit von den Versorgungslinien in Libyen entfernt, um Truppen zu ersetzen und Maschinen zu reparieren, die durch die harten Wüstenbedingungen beschädigt wurden. Die brutale Hitze am Tag und die eiskalten Temperaturen in der Nacht machten allen Soldaten zu schaffen. Besonders schlimm war jedoch der Wassermangel. Viele Soldaten, darunter Rommels Offiziere und Geheimdienstchefs der Wehrmacht, litten an Krankheiten.

Der mangelnde Nachschub war letztendlich der Grund dafür, dass die Deutschen den Nordafrikafeldzug verloren. Die Briten hatten dank der Unterstützung der USA schlicht mehr Vorräte. Die Deutschen hingegen hatten auf einen schnellen Sieg in Nordafrika gehofft. Als sich der Feldzug in die Länge zog, konnten sie keine weiteren Soldaten, Panzer und Waffen **entbehren**, die stattdessen für den schwierigen Einmarsch in die Sowjetunion benötigt wurden. Am Ende des nordafrikanischen Feldzugs mussten sich Rommel und das *Afrikakorps* auf die Panzer, Lastwagen und Vorräte verlassen, die sie den Briten im Kampf abnahmen.

Nach einer zweiwöchigen Schlacht im ägyptischen El Alamein mussten sich die Deutschen geschlagen geben. Am 23. Oktober 1942 begannen die Briten mit einem Luftangriff auf die Deutschen. Kurz darauf kam es zu Kämpfen zwischen den Infanteriedivisionen. Zudem wurden die Deutschen von einer neuen Waffe überrascht: dem in den USA hergestellten Sherman-Panzer. Obwohl er nicht der innovativste oder erfolgreichste Panzer des Krieges war, hatte er den wichtigen Vorteil, dass er im Vergleich zu den abgenutzten Panzern des *Afrikakorps* brandneu war. Die Briten zogen mit einem neuen General namens Bernard Montgomery in den Kampf. Er wurde von seinen Männern geliebt, die ihn liebevoll „Monty" nannten. Er gab den britischen Soldaten das Vertrauen zurück und versprach ihnen, dass sie gewinnen würden.

Mit ihren neuen Waffen, ausgeruhten Truppen und ihrer hohen Moral sicherten sich die Briten den Sieg. Rommel musste sich nach Tunesien zurückziehen. Der Krieg in Nordafrika war längst vorbei, als Hitler ihn im Mai 1943 nach Deutschland beorderte.

Der britische Premierminister Winston Churchill nannte Rommel, der allgemein hin als „Wüstenfuchs“ bekannt ist, einen „großen General“. Einige Historiker sind allerdings der Ansicht, dass Rommels Wüstenfeldzug spektakulärer aussah, als er in Wirklichkeit war. Es besteht jedoch kein Zweifel, dass sowohl die Alliierten als auch die Achsenmächte Rommel sehr respektierten und Deutschland länger als erwartet in Nordafrika verblieb.

Wusstest du schon?

Im Jahr 2014 gab die Universität Freiburg 14 Schädel von Afrikanern namibischer Abstammung zurück an Namibia, die damals von Wissenschaftlern nach Deutschland gebracht worden waren. Zu dieser Zeit glaubte man, dass verschiedene Rassen unterschiedliche Schädelformen hätten. Der Rektor der Universität entschuldigte sich für die damaligen Taten.

Vokabular

(die) Behandlung handling, dealing
erahnen to guess
errang (erringen) to gain, to achieve, to win
(die) Beteiligung participation, involvement
(der) Feldzug campaign
(die) Unterdrückung suppression
(die) Stämme tribes
(der) Verbündete allies
drängte zurück (zurückdrängen) to push back, to force back
benachteiligte (benachteiligen) to penalize, to discriminate against
verwundbar vulnerable
entbehren to be deprived, to lack, to spare
(die) Abstammung origin

4.4. WIE WAR DAS LEBEN IN NEUTRALEN DEUTSCHSPRACHIGEN LÄNDERN WÄHREND DES ZWEITEN WELTKRIEGS?

- *Als der Zweite Weltkrieg begann, erklärten viele Länder in Europa ihre Neutralität. Dazu zählten auch Nationen mit deutschsprachiger Bevölkerung wie Liechtenstein, Luxemburg und die Schweiz.*
- *Die Schweiz ist seit vielen Jahrhunderten dafür bekannt, ein neutrales Land zu sein. Während des Zweiten Weltkriegs half seine Neutralität jedoch dem Naziregime, weil Schweizer Banken Geld und Wertgegenstände der Nazis annahmen – einschließlich der gestohlenen Wertsachen jener Juden, die in Konzentrationslager geschickt wurden.*
- *Liechtenstein ist ein kleiner Stadtstaat und profitierte während des Zweiten Weltkriegs von seinen engen Beziehungen zur Schweiz.*
- *Luxemburg wurde im Mai 1940 von Deutschland besetzt. Anders als die Schweiz und Liechtenstein erlebte die Bevölkerung in Luxemburg trotz der Neutralität ihres Landes viele Schrecken des Krieges.*

In Kriegszeiten entscheiden sich einige Länder für die Erklärung der Neutralität. Das ist die **Absicht**, sich auf keine der Seiten zu stellen. Laut dem niederländischen Anwalt und Philosoph Hugo Grotius aus dem 17. Jahrhundert wird Neutralität so definiert, dass fremde Armeen durch ein neutrales Land durchmarschieren dürfen, während das neutrale Land Vorräte **anbietet** und **Belagerten** nicht hilft. Im Gegenzug würden die Kriegsparteien das Land und seine Bevölkerung nicht überfallen und keinerlei Schaden anrichten.

Als im September 1939 der Zweite Weltkrieg ausbrach, erklärten Dutzende europäischer Nationen ihre Neutralität, um ihre Völker vor dem Tod und ihr Land vor der Zerstörung zu schützen. Allerdings blieben nur sechs Länder bis Kriegsende wirklich neutral: Irland, Portugal, Spanien, Schweden, die Schweiz und die Türkei. Neutralität während des Zweiten Weltkriegs bedeutete jedoch nicht immer, dass die Länder die Schrecken des Krieges vermieden. Besonders schwierig war es für Länder wie die Schweiz und Luxemburg, die an beide befeindeten Lager angrenzten. Hitler wollte außerdem alle nichtjüdischen deutschsprachigen Europäer in das Dritte Reich **eingliedern**. In diesem Kapitel werden wir uns drei Länder ansehen und inwiefern sich ihre Neutralität auf den Alltag der dort lebenden deutschsprachigen Menschen ausgewirkt hat.

DIE SCHWEIZ

Die Schweiz hat ihre Neutralität seit Jahrhunderten zu einer offiziellen Regierungspolitik erklärt. Im Mittelalter verhinderten Schweizer Soldaten, dass Kriege in der Schweiz ausgeführt wurden, indem sie für die Armeen anderer Nationen kämpften. Die schwere Niederlage gegen französische und venezianische Soldaten in der Schlacht von Marignano im Jahr 1515 machte den guten Ruf der Schweizer Truppen jedoch zunichte. Da sie als **Söldner** kein Geld mehr verdienen konnten, wandten sie sich dem Bankwesen zu. Die Neutralität bedeutete, dass andere Europäer ihr Geld in Schweizer Banken aufbewahren konnten, ohne befürchten zu müssen, dass die Bank im Kriegsfall ausgeraubt werden würde.

Die Neutralität der Schweiz ist wahrscheinlich einer der Gründe dafür, dass ihre Bevölkerung seit Jahrhunderten friedvoll zusammenleben konnte, obwohl sie vier verschiedene offizielle Sprachen hat: Französisch, Deutsch, Italienisch und Rätoromanisch (eine vom Latein abgeleitete Sprache, die von weniger als 1 % der Bevölkerung gesprochen wird). Die Chance, an einem vom Krieg unberührten Ort zu leben, ermöglichte es den Schweizern, alle sprachlichen und kulturellen Bindungen zu Frankreich, Deutschland und Italien zu überwinden. Schweizerdeutsch war schon immer die am weitesten verbreitete Sprache. Heute sprechen es 60 % der Bevölkerung, wobei mehr als 40 % aller Schweizer mehr als eine Sprache sprechen.

Als der Zweite Weltkrieg begann, bekräftigte die Schweiz ihre Absicht, neutral zu bleiben. Ihre Lage mitten in Europa machte sie jedoch anfällig für Angriffe von allen Seiten. Die Schweiz stützte sich auf ihre wirtschaftliche Nützlichkeit, damit ihre Neutralität respektiert werden würde. Schon vor Ausbruch des Krieges steckten viele europäische Juden ihr Geld in Schweizer Banken (darunter auch die damals staatseigene Nationalbank), um es vor den Nazis zu schützen. Die Schweiz hat im Jahr 1934 (ein Jahr nach Hitlers Machtergreifung) sogar ein Gesetz erlassen, um die Namen von Personen, die in der Schweiz Bankgeschäfte tätigen, geheim zu halten. Dies bedeutete, dass Deutschland die Liste der Personen, die in der Schweiz Bankgeschäfte tätigten, nicht einsehen und Konten von Juden nicht erkennen konnte. Ab Oktober 1938 weigerte sich die Schweizer Regierung jedoch, deutschen Juden Visa auszustellen. Im Jahr 1942 unternahm die Regierung einen drastischen Schritt und verabschiedete ein Gesetz, das die Grenze für jüdische Flüchtlinge schloss. Als viele Juden in Konzentrationslager geschickt wurden und im Holocaust ihr Leben verloren, behielten die Schweizer Banken ihr Geld. Jene Juden, die den Holocaust überlebt hatten, erhielten ihr Geld nach dem Krieg jedoch nicht zurück. Die Schweizer Banken weigerten sich, das Geld ohne Ausweis und Kontopapiere herauszugeben. Diese **Unterlagen** wurden jedoch von den Nazis während des Krieges gestohlen und vernichtet.

Aufgrund ihrer Neutralität wurden Schweizer Banken nicht nur von **Schutzsuchenden** genutzt. Vielmehr lagerten Schweizer Banken Hunderte von Millionen Dollar an Gold, Schmuck und Kunst, die die Nazis von anderen Nationen und Völkern gestohlen hatten. Diese Banken kauften noch bis zum Ende des Zweiten Weltkriegs Gold von den Nazis, lange nachdem andere Länder damit aufgehört hatten. Sie **verschleierten** das, indem sie das Gold **schmolzen**, die Nazisymbole entfernten und sie durch Schweizer Marken ersetzten. Ein Teil dieses Goldes stammte aus den **Zahnfüllungen**, der im Holocaust ermordeten. Im KZ Buchenwald wurden während des Bestehens des Lagers monatlich zwischen 100 und 500 g Gold gesammelt. Im KZ Auschwitz wurden zwischen 1943 und 1944 2000 kg Gold zu **Barren** geschmolzen. Erst 1996 gaben die Schweizer Banken schließlich zu, dass sie noch viel Kriegsgold und Wertgegenstände aus jener Zeit besaßen. Dieses **Eingeständnis** löste einen weltweiten Skandal aus. Schließlich erklärten sich die Banken bereit, den Opfern des Holocaust 1,25 Milliarden US-Dollar zu zahlen. Die letzten Zahlungen erfolgten im Jahr 2013. Mittlerweile fragen sich viele, wie neutral das Verhalten der Schweiz während des Zweiten Weltkriegs wirklich war.

LIECHTENSTEIN

Der nur 161 km^2 große Stadtstaat liegt zwischen der Schweiz und Österreich. Heute leben dort etwa 39.000 Menschen. Das Land ist eine konstitutionelle Monarchie mit königlicher Familie und Parlament. Die **Amtssprache** ist Deutsch. Das Land gehörte zunächst zum **Heiligen Römischen Reich** und wurde nach dem Ende der Napoleonischen Kriege Teil des Deutschen Bundes. Weil es vor dem Ersten Weltkrieg Bündnisse mit Österreich-Ungarn und Deutschland geschlossen hatte, litt Liechtenstein wirtschaftlich unter der Niederlage dieser Nationen, obwohl es sich für neutral erklärt hatte. Um sich zu **erholen**, baute es ein enges Wirtschaftsbündnis mit der Schweiz auf, trat der **Zollunion** bei und verwendet seither den Schweizer Franken als Währung. Vor dem Zweiten Weltkrieg gab es in Liechtenstein eine starke Sympathie für die NSDAP. Die Nationalisten des Landes waren mit den Nazis **verbündet** und holten bei den Wahlen von 1938 fast die Hälfte der Regierungssitze. Dieser Einfluss war ein wesentlicher Grund dafür, dass der betagte Fürst Franz Paul I im Jahr 1938 zugunsten seines Cousins Fürst Franz Joseph **abdankte**. Die Frau von Franz Paul I. war Jüdin und Nazi-Sympathisanten hatten sie offen als „Problem" bezeichnet. Liechtenstein bewahrte im Gegensatz zur Schweiz kein Nazi-Gold auf. Ein Bericht aus den 2000-er Jahren ergab jedoch, dass jüdische KZ-Häftlinge während des Krieges auf österreichischem Land arbeiteten, das der königlichen Familie gehörte. Außerdem wurden 270 Kunstwerke, die die königliche Familie während des Krieges gekauft hatte, wahrscheinlich von den Nazis gestohlen, obwohl nicht klar ist, woher diese Stücke ursprünglich stammten. Derselbe Bericht stellte fest, dass Liechtenstein zwischen 1933 und 1945 tatsächlich 400 jüdische Flüchtlinge aus Deutschland und Österreich aufgenommen und 165 weitere **abgewiesen** hatte.

LUXEMBURG

Luxemburg ist mit gut 2.500km² eines der kleinsten Länder der Europäischen Union. Die konstitutionelle Monarchie grenzt im Norden an Belgien, im Osten an Deutschland und im Süden an Frankreich. Obwohl sich Luxemburg für neutral erklärte, marschierte Deutschland am 10. Mai 1940 in das Land ein. Die amtierende Monarchin, Großherzogin Charlotte, und die Regierung flohen ins Exil. Sie ließen sich schließlich in London nieder, um von dort dem luxemburgischen Widerstand zu helfen. Zunächst schloss Deutschland Luxemburg an das Dritte Reich an und installierte eine von den Nazis geführte Regierung. Französisch zu sprechen (das neben Deutsch und Luxemburgisch Amtssprache war) wurde verboten und es wurden antisemitische Gesetze eingeführt. Juden wurden gezwungen, einen gelben Davidstern auf ihrer Kleidung zu tragen und die vier Synagogen des Landes wurden zerstört. Trotz dieser **Bemühungen**, die gesamte nichtdeutsche Kultur **auszurotten**, identifizierten sich 77 % der Menschen bei einer **Volkszählung** von 1941 als Luxemburger und nicht als Deutsche.

Zu Kriegsbeginn lebten in Luxemburg etwa 3.900 Juden. Bis Oktober 1941 durften sie das Land verlassen, und viele taten es auch. Nur 800 Juden waren nach den ersten eineinhalb Jahren Besatzung noch übrig. Die erste Deportation erfolgte am 17. Oktober 1941, als 323 luxemburgische Juden in das Ghetto Łódź in Polen deportiert wurden. Bis zum 17. Juni 1943 wurden weitere 658 Juden in Ghettos und Konzentrationslager gebracht. Außerdem wurden 10.000 Luxemburger eingezogen oder gezwungen, für Deutschland zu kämpfen. Mehr als ein Drittel dieser Männer weigerte sich zu kämpfen und musste deshalb untertauchen.

Luxemburg wurde am 10. September 1944 von den Amerikanern befreit. Die Deutschen griffen jedoch im

Dezember in der blutigen Ardennenoffensive noch einmal an, die Tausende von Soldaten auf beiden Seiten tötete. Erst als General George S. Patton am 12. Februar 1945 die letzte besetzte Stadt namens Vianden befreite, kehrte endlich Frieden in Luxemburg ein. Am Ende starben 5.700 nichtjüdische Luxemburger (2 % der Bevölkerung). Von den 1.300 deportierten jüdischen Luxemburgern überlebten nur 69.

Die Beispiele aus Liechtenstein und der Schweiz einerseits und aus Luxemburg andererseits zeigen, wie unterschiedlich der Zweite Weltkrieg für deutschsprachige Menschen in neutralen Ländern verlief. Die Schweiz und ihr enger wirtschaftlicher Verbündeter Liechtenstein konnten das Schlimmste vermeiden, weil sie den Nazis nützlicher waren, wenn sie in Ruhe gelassen wurden. Diese wirtschaftlichen Vorteile konnte Luxemburg jedoch nicht bieten. Die Deutschen deportierten daher jüdische Luxemburger, führten die Wehrpflicht ein und setzten die Bevölkerung großer Not aus.

Wusstest du schon?

Die meisten Luxemburger sprechen vier Sprachen. Von den drei Amtssprachen wird Deutsch in den Printmedien verwendet. Französisch ist die am häufigsten gesprochene Sprache und Luxemburgisch wird im Fernsehen und Radio verwendet. Heute leben 626.000 Menschen in Luxemburg. Weitere 185.000 Menschen pendeln täglich aus Belgien, Frankreich und Deutschland zur Arbeit nach Luxemburg.

Vokabular

(die) Absicht intention
anbietet (anbieten) to offer
(die) Belagerten besieged people
eingliedern to integrate, to incorporate
(der) Söldner mercenary
(die) Unterlagen documents
(die) Schutzsuchenden protection seekers
verschleierten (verschleiern) to disguise, to veil
schmolzen (schmelzen) to melt
(die) Zahnfüllungen dental fillings
(die) Barren bars
(das) Eingeständnis admission, confession
(die) Amtssprache official language
(das) Heilige Römische Reich Holy Roman Empire
erholen to recover
(die) Zollunion customs union
verbündet allied
abdankte (abdanken) to abdicate, to resign
abgewiesen (abweisen) to reject, to refuse
(die) Bemühungen efforts
auszurotten (ausrotten) to eradicate, to wipe out
(die) Volkszählung census
pendeln to commute

5. DIE VERGESSENEN GESICHTER DES KRIEGES

Die Soldaten waren nicht die Einzigen, die am Zweiten Weltkrieg teilnahmen. Auch die Frauen und Männer der beteiligten Länder nahmen direkt und indirekt am Konflikt teil. Viele von ihnen waren Kämpfer, traurige Opfer oder glückliche Überlebende. In diesem Abschnitt betrachten wir, wie einige Minderheiten am größten Konflikt der Menschheitsgeschichte teilnahmen.

Auch Kinder erlebten die Schrecken des Zweiten Weltkriegs **hautnah**. Viele von ihnen wurden trotz ihres jungen Alters **kaltblütig** ermordet. Andere mussten ihre Heimat verlassen oder wurden von ihren Eltern getrennt. Nicht wenige wurden zu Soldaten ausgebildet.

Auch Frauen haben am Zweiten Weltkrieg teilgenommen, auch wenn ihnen manchmal nicht genügend **Anerkennung** zuteilwird. Sie arbeiteten nicht nur als Hilfskräfte, sondern kämpften auch an der Front. Außerdem arbeiteten viele von ihnen an neuen Arbeitsplätzen, als ihre Männer an die Front gingen. Besonders oft waren Frauen in den Fabriken tätig. Nach dem Zweiten Weltkrieg waren Frauen stärker in Berufen vertreten, die zuvor **ausschließlich** von Männern besetzt waren. Dies löste die Bewegung des Feminismus aus, der das Ziel hatte, die Frauen in der Gesellschaft den

Männern gleichzustellen und ihnen mehr Arbeitsrechte zu geben. Dieser Kampf um die Gleichberechtigung der Frauen dauert bis heute an.

Derzeit wird versucht, die Arbeits- und Sozialbedingungen für Frauen jedes sozialen Status und jeder Hautfarbe zu verbessern.

Die amerikanischen Ureinwohner nahmen als Sondereinheiten am Zweiten Weltkrieg teil. Ihre exotischen Sprachen wurden verwendet, um verschlüsselte Nachrichten zu versenden. So hatten die Achsenmächte keine Chance, die Pläne der Alliierten in Erfahrung zu bringen.

Afroamerikaner spielten eine ebenso bedeutende Rolle beim US-Militär. Im Zweiten Weltkrieg kämpften zum ersten Mal in der Geschichte schwarze und weiße Soldaten Seite an Seite. Afroamerikaner waren Piloten, Infanteristen, Panzerfahrer. Dies führte dazu, dass die US-Armee nach dem Krieg ein Programm zur Rassenintegration in ihren Reihen startete.

Wir betrachten in diesem Kapitel auch, wie die Japaner auf dem amerikanischen Kontinent behandelt wurden, da die Regierungen der Vereinigten Staaten und einiger lateinamerikanischer Länder sie als innere Feinde betrachteten. Am Ende kommen wir darauf zu sprechen, wie Kriegsgefangene während des Zweiten Weltkriegs behandelt wurden.

Vokabular

hautnah up close
kaltblütig cold-blooded
(die) Anerkennung recognition
ausschließlich exclusively

5.1. WIE HAT SICH DER KRIEG AUF KINDER AUSGEWIRKT?

- *Kinder leiden immer besonders hart unter den Folgen eines Krieges.*
- *Während des Zweiten Weltkriegs wurden selbst Kinder Opfer des Krieges.*
- *Viele Kinder erlebten hautnah Morde, bewaffnete Auseinandersetzungen und andere schlimme Situationen.*

Korczak und die Kinder des Ghetto Statue, Yad Vashem (auf depositphoto.com)

Obwohl sie nur selten in Geschichtsbüchern Erwähnung finden, litten viele Kinder hautnah unter dem Krieg. Er traf sie noch härter als Erwachsene. In diesem Kapitel berichten wir über einige der Auswirkungen des Krieges auf Kinder und Jugendliche.

VIELE KINDER WURDEN VON IHREN ELTERN GETRENNT

Noch bevor der Zweite Weltkrieg ausbrach, öffnete England im Jahr 1938 seine Grenzen, um 10.000 jüdischen Kindern, die vor dem Naziregime flohen, die Einreise zu ermöglichen. Viele Juden aus Österreich, Deutschland, der Tschechoslowakei und Polen schickten ihre Kinder nach England, in der Hoffnung, dass sie dort überleben würden. Tausende dieser Kinder sahen ihre Eltern nie wieder.

Das Britische Rote Kreuz rettete die 5- bis 17-jährigen Kinder per Bahn und Schiff aus den Niederlanden. Obwohl sie den Krieg überlebten, war die Rettung für sie dennoch schmerzhaft. Sie wurden von ihren Eltern getrennt und in Heimen und Pflegefamilien in einem ihnen unbekannten Land untergebracht. In einigen Fällen wurden sie von den Adoptiveltern schlecht behandelt.

KINDER ALS OPFER DES NATIONALSOZIALISMUS

1,6 Millionen jüdische Kinder lebten im Zweiten Weltkrieg in den von den Nazis besetzten Gebieten. Bis Kriegsende starben etwa 1,5 Millionen dieser Kinder als Opfer des nationalsozialistischen Vernichtungsprogramms. Die wenigen Überlebenden mussten ohne Eltern, Großeltern oder gar Verwandte auskommen.

Die **Sterblichkeitsrate** jüdischer Kinder während des Zweiten Weltkriegs war sehr hoch. Genau genommen überlebten nur 11 % der jüdischen Kinder den Krieg. Die hohe Sterblichkeit war darauf zurückzuführen, dass die Nazis in den Konzentrationslagern zunächst Kinder, Alte und schwangere Frauen töteten. Juden konnten nur durch Zwangsarbeit überleben und den Gaskammern entkommen.

Beispielsweise wurden in Auschwitz, einem der größten Konzentrationslager der Nazis, 216.000 minderjährige Juden inhaftiert. Davon wurden nur 6.700 Kinder zur Zwangsarbeit ausgewählt. Der Rest wurde in den Gaskammern ermordet. Als die sowjetischen Truppen Auschwitz befreiten, befanden sich unter den 9.000 überlebenden Häftlingen nur 451 Minderjährige. Ein weiteres Beispiel für die Auswirkungen der NS-Verfolgung auf die minderjährigen Juden waren die Überlebenden aus Polen. Von den Millionen jüdischen Kindern, die in diesem Land lebten, überlebten nur 5000. Die meisten von ihnen sind untergetaucht.

MILITÄRISCHE AUSBILDUNG DER HITLERJUGEND

Vor und während des Zweiten Weltkriegs bildete die Hitlerjugend deutsche Jungen aus. Diese Organisation war darauf bedacht, sie nach nationalsozialistischen Standards zu lehren, um ihr Handeln und Denken zu beeinflussen. Im Jahr 1935 waren 60 % der minderjährigen deutschen Jungen Mitglieder der Hitlerjugend.

Die Jungen traten mit 13 Jahren in die Hitlerjugend ein und verließen die Organisation mit 18. Während dieser Zeit erhielten sie eine militärische Grundausbildung und widmeten sich ganztägig der Arbeit für den Nationalsozialismus und Hitler. Mit 18 traten sie der NSDAP bei, wo sie bis zu ihrem 21. Lebensjahr als Soldaten oder Hilfssoldaten dienten.

Für die Mädchen gab es mit dem Bund Deutscher Mädchen eine eigene Organisation. Sie bildete junge Mädchen im Alter von 14 bis 18 Jahren aus und unterrichtete sie zum Thema Haushalt und Kindererziehung.

DIE KINDER DES KRIEGES: ZEUGEN DES SCHRECKENS

Auch jene Kinder, die nicht ihre Heimat verlassen mussten, deportiert wurden oder als Soldaten kämpften, erlebten Schlimmes. Alle Kinder waren Zeugen der **Gräueltaten** des Zweiten Weltkriegs.

Viele der damaligen Kinder litten lange unter den Folgen des Krieges. Als sie klein waren, erlebten sie Luftangriffe, Selbstmorde, Schusswechsel, Bombenalarme und sahen dem Tod jederzeit ins Auge.

Wusstest du schon?

Während der Luftangriffe auf London im Jahr 1939 startete die britische Regierung die Operation Pied Piper. Dadurch wurden 1,9 Millionen Kinder in 3 Tagen in Lager verlegt. Sie kamen aus 6 englischen Städten, die von deutschen Fliegerbomben bedroht waren.

Vokabular

ausgewirkt (auswirken) to affect
schmerzhaft painful
(die) Pflegefamilien foster families
untergebracht (unterbringen) to put up, to accommodate
(die) Sterblichkeitsrate mortality rate
minderjährig underage
(die) Zeugen witnesses
(die) Gräueltaten atrocities
verlegt (verlegen) to move

5.2. WELCHE ROLLE SPIELTEN DIE FRAUEN IM ZWEITEN WELTKRIEG?

- *Die Beteiligung der Frauen an Kriegen hat nie viel Aufmerksamkeit erregt.*
- *Dabei haben viele Frauen an verschiedenen Kriegen teilgenommen und kämpften sogar aktiv mit.*
- *Im Zweiten Weltkrieg kämpften mehr Frauen mit als in jedem bisherigen Krieg.*
- *Frauen traten nicht nur den Armeen bei, sondern kämpften auch als Mitglieder des Widerstands.*

„Rosie the Riveter", ein Kriegsplakat, das im Jahr 1943 von J. Howard Miller für Westinghouse Electric als inspirierendes Bild zur Stärkung der Arbeitsmoral von Arbeiterinnen produziert wurde (Foto auf pixaby.com)

Die Beteiligung der Frauen am Zweiten Weltkrieg wird in der offiziellen Geschichte nur selten erwähnt. Dabei nahmen viele Frauen hautnah an den Kämpfen teil. Davon abgesehen wurden während des Zweiten Weltkriegs viele Frauen auf dem Arbeitsmarkt aktiv, was auch nach dem Krieg so blieb. In diesem Kapitel betrachten wir, wie Frauen am Zweiten Weltkrieg teilgenommen haben.

DIE WEIBLICHE BETEILIGUNG AM WIDERSTAND

Während des Krieges wurden in vielen Ländern geheime (aber staatlich geförderte) Organisationen gegründet, um die Nazis zu bekämpfen. Diese Organisationen arbeiteten in ganz Europa im Untergrund und waren hauptsächlich im von den Nazis eroberten Frankreich und in Mussolinis Italien aktiv. Das britische Directorate of Special Operations und das American Office of Strategic Services waren zwei dieser Organisationen, die allgemein hin als der ***Widerstand*** bekannt sind.

Viele Frauen arbeiteten auf verschiedene Weisen für den Widerstand. Einige organisierten Sabotage-Aktionen, während andere feindliche Soldaten in den Bars **ausspionierten**. Eine der häufigsten Aufgaben war es, Nachrichten und Dokumente zu überbringen. Frauen waren sehr effektiv darin, Botschaften zu überbringen, weil sie von feindlichen Soldaten **unbeachtet** blieben.

Viele dieser Widerstandskämpferinnen wurden nach

Kriegsende mit den höchsten militärischen Ehren **ausgezeichnet**. Einige waren Spione, andere verbreiteten alliierte Propaganda und Nachrichten. Sie alle **engagierten sich** gleichermaßen für die Niederlage des Nationalsozialismus in Europa.

Dies waren einige der wichtigsten Frauen des Zweiten Weltkriegs:

NOOR INAYAT KHAN, BRITISCHE SPIONIN UND INDISCHE PRINZESSIN

Noor stammte von Sultan Fateh Ali Tipu, dem Oberhaupt des indischen Bundesstaates Karnakata aus dem 18. Jahrhundert, ab. Sie wurde in Moskau geboren und studierte an der Universität Sorbonne in Paris. Dadurch sprach sie mehrere Sprachen fließend. Aufgrund ihrer Herkunft und Ausbildung erhielt sie eine Stelle im britischen Directorate of Special Operations.

Ihr wichtigster Job in Frankreich war die als Funkerin. Sie sendete wichtige Botschaften für alliierte Operationen in Europa. Sie war die erste Frau, die diesen gefährlichen Beruf ausübte, bei dem sie **ständig** weiterziehen musste, damit die Nazis sie nicht fanden.

Die **Gestapo** nahm Noor jedoch gefangen und verhörte sie unter Folter. Sie versuchte mehrmals zu fliehen, was ihr aber nie gelang. Sie wurde in verschiedenen **Hochsicherheitsgefängnissen** gefangen gehalten. Im

September 1944 überstellten die Deutschen Noor in das Konzentrationslager Dachau, wo sie ermordet wurde.

Die britische Regierung zeichnete sie nach ihrem Tod mit der Saint George Medal aus. Von Frankreich erhielt sie das Croix de Guerre mit goldenem Stern.

LADY DEATH, DIE TÖDLICHSTE SCHARFSCHÜTZIN

Lyudmila Pavlichenko, besser bekannt als *Lady Death*, war eine der erfolgreichsten **Scharfschützen** der Geschichte. Sie war eine Soldatin der Roten Armee und kämpfte Schulter an Schulter mit ihren männlichen Kameraden. Ljudmila tötete während der Nazi-Invasion in der Sowjetunion 309 deutsche Soldaten. Eine Explosion verletzte sie jedoch schwer und sie musste sich zurückziehen.

Nach ihrer **Genesung** trat Lyudmila nicht wieder in die Reihen der Roten Armee ein, sondern wurde ein Model und eine Botschafterin der Roten Armee und der UdSSR. Sie reiste um die ganze Welt und traf sich mit wichtigen politischen Führern, um die Sowjetunion zu vertreten. Sie war beispielsweise die erste sowjetische Frau, die von Präsident Franklin D. Roosevelt und seiner Frau Eleanor Roosevelt ins Weiße Haus eingeladen wurde. Außerdem erhielt sie den Gold Star für Helden der Sowjetunion.

DIE WEIßE MAUS, EIN MITGLIED DES FRANZÖSISCHEN WIDERSTANDS

Als die Deutschen im Jahr 1939 in Frankreich einmarschierten, schlossen sich Nancy Wake und ihr Mann dem französischen Widerstand an.

Wake half mehreren alliierten Piloten, über die Pyrenäen nach Spanien in Sicherheit zu fliehen. Im Jahr 1942 wurde ihre Gruppe jedoch **verraten**, sodass sie selbst nach Großbritannien fliehen musste.

Später kehrte sie nach Frankreich zurück, um sich dem britischen Directorate of Special Operations anzuschließen. Sie nahm an vielen riskanten Missionen teil. Sie wurde beauftragt, Nachrichten durch feindliches Gebiet auf einem Fahrrad zu transportieren oder Verabredungen mit deutschen Soldaten zu vereinbaren, um Informationen zu erhalten. Sie wurde in mehreren Situationen fast verhaftet, schaffte es aber immer, zu entkommen oder ihre Verfolger zu töten. Nach dem Krieg erhielt sie viele militärische Auszeichnungen. Nancy Wake starb am 7. August 2011 im Alter von 98 Jahren in London.

DIE FRAUEN ALS ARBEITERINNEN

Während des Zweiten Weltkriegs konzentrierte sich die Wirtschaft aller Länder auf die Produktion von Waffen, Nahrungsmitteln und **Kriegsausrüstung**. Daher brauchten viele Länder mehr Arbeitskräfte. Da die meisten Männer auf dem **Schlachtfeld** waren, begannen nun die Frauen, die Arbeit zu übernehmen und in den Fabriken zu arbeiten.

Für viele Historiker war der Zweite Weltkrieg der Moment, in dem Frauen zum ersten Mal in größerer Anzahl in der Arbeitswelt tätig wurden. Es wird geschätzt, dass im Jahr 1945 mehr als 36 % der Arbeitsplätze in den Vereinigten Staaten von Frauen besetzt waren. Damals erhielten viele Frauen bessere Löhne und wichtigere Jobs. In den Vereinigten Staaten waren alle Frauen unabhängig ihrer Rasse, Hautfarbe oder ihrem Alter im Arbeitsmarkt hoch gefragt. So erhielten viele afroamerikanische, indianische und ältere Frauen während des Krieges ihre erste bezahlte Arbeit. Dank der arbeitenden Frauen konnten die Soldaten weiter an der Front kämpfen.

Wusstest du schon?

Hunderttausende Frauen aus dem Pazifikraum wurden während des Zweiten Weltkriegs von der kaiserlichen japanischen Armee sexuell versklavt. Diese Sexsklaven sollten Soldaten vor und während des Kampfes trösten. Sie wurden damals als „Trostfrauen“ bezeichnet.

Vokabular

(der) Widerstand resistance
ausspionierten (ausspionieren) to spy
unbeachtet unnoticed
ausgezeichnet (auszeichnen) to award, to honor
engagierten sich (sich engagieren) to become involved, to become committed
ständig constantly
(die) Hochsicherheitsgefängnisse maximum security prison
(die) Scharfschützen snipers
(die) Genesung recovery
verraten to betray
(die) Kriegsausrüstung war gear
(das) Schlachtfeld battlefield
trösten to comfort, to console

5.3. WIE HABEN DIE AMERIKANISCHEN UREINWOHNER AM ZWEITEN WELTKRIEG TEILGENOMMEN?

- *Während des Ersten und Zweiten Weltkriegs nahmen auch Indianer als Soldaten am Krieg teil.*
- *Sie übermittelten vorwiegend verschlüsselte Nachrichten über das Radio.*
- *Die Nachrichten wurden in ihrer exotischen Muttersprache übermittelt, damit die Gegner sie nicht verstehen konnten.*

Die Rolle der amerikanischen **Ureinwohner** im Zweiten Weltkrieg wurde in den Geschichtsbüchern lange ignoriert. Dennoch spielten sie bereits im Ersten Weltkrieg eine Schlüsselrolle bei der **Übermittlung** geheimer Botschaften. Ihre Beteiligung als Boten erfolgte allerdings hauptsächlich im Zweiten Weltkrieg.

Während des 20. Jahrhunderts wurden indianische Soldaten nicht für ihre militärischen Errungenschaften anerkannt. Erst im 21. Jahrhundert verlieh ihnen der Kongress der Vereinigten Staaten verschiedene Auszeichnungen und öffentliche Anerkennung.

DAS CHOCTAW-SQUAD

Die Ureinwohner Amerikas übten die Funktion als Boten erstmals im Herbst 1918 in der Maas-Argonne-Offensive an der Westfront aus. Diese Operation war eine der größten der Vereinigten Staaten während des Ersten Weltkriegs. Damals hatten die Deutschen die Oberhand, da sie die Telefonleitungen **abgehört** und die Codes der darüber gesendeten Nachrichten entschlüsselt hatten.

Die Schlacht schien verloren, als ein Kapitän zwei Choctaw-Soldaten sprechen hörte. Er fragte sie, welche Sprache sie sprächen und ob es noch andere Soldaten gebe, die diese Sprache sprachen. Mehrere Soldaten sprachen Choctaw, woraufhin die US-Armee begannen, die Botschaften in dieser Sprache zu übermitteln, um sie anschließend wieder ins Englische zu übersetzen. Das war der Beginn des *Choctaw Telephone Squads*. Es war das erste Mal, dass eine indianische Sprache verwendet wurde, um militärische Botschaften zu übermitteln.

Die Choctaw-Indianer sind eine indianische Nation, die eine Variante des Muskogee spricht. Sie **siedelten** einst an den Ufern des Yazoo River und westlich des Alabama River im Mississippi-Becken. Einige Choctaw-Indianer wurden während des Ersten Weltkriegs rekrutiert. Viele von ihnen nahmen an der Maas-Argonne-Offensive teil.

Dank der 19 Soldaten des *Choctaw Telephone Squad* war es möglich, Nachrichten absolut sicher zu übermitteln. Diese Strategie verhalf der US-Armee dazu, die Maas-Argonne-Offensive zu gewinnen, weil die Deutschen die Botschaften zwar hörten, aber nicht verstanden. Die Deutschen glaubten sogar, die Amerikaner hätten ein Gerät erfunden, mit dem sie unter Wasser sprechen konnten! Das liegt daran, dass die Laute der Muskogee-Sprache sehr tief und langsam sind.

DIE AMERIKANISCHEN UREINWOHNER WÄHREND DES ZWEITEN WELTKRIEGS

Während des Zweiten Weltkriegs beteiligten sich auch die amerikanischen Ureinwohner, indem sie verschlüsselte Nachrichten sendeten. Zu den bekanntesten zählten die **Übermittler** der Navajo- und Comanche-Indianer. Zu dieser Zeit zählte das Navajo-**Volk** 30.000 Mitglieder, von denen 420 als Übermittler verschlüsselter Botschaften arbeiteten.

Zu Beginn des Krieges zweifelte der Rest der Soldaten an der Nützlichkeit der Codes in Navajo und Comanche. Sie verachteten die indigenen Sprachen, weil sie für „einfach" gehalten wurden und ein Beweis für den „**Mangel** an Intelligenz" der Ureinwohner waren. Daher mussten viele indigene Soldaten ihre Nützlichkeit und Effektivität bei der schnellen und sicheren Übermittlung von Nachrichten unter Beweis stellen. Am Ende des Zweiten Weltkriegs waren die Kommandeure sehr zufrieden mit der Arbeit der Übermittler.

Indigene Soldaten nahmen an zahlreichen Schlachten im gesamten Pazifik teil, darunter Guadalcanal, Iwo

Jima, Peleliu und Tarawa. Darüber hinaus waren die Eingeborenen nicht nur für die Übertragung verschlüsselter Nachrichten **verantwortlich**, sondern kämpften auch aktiv mit.

Die Ureinwohner erhielten für ihre Arbeit als Übermittler von Botschaften am Ende des Zweiten Weltkriegs allerdings keinerlei **Anerkennung**. Die US-Regierung konnte sich nicht erklären, wie die Sprachen, die sie zu eliminieren versuchten, beim Sieg gegen die Achsenmächte halfen. Außerdem wollten sie nicht, dass die Strategie der Verwendung von indigenen Sprachen zum Versenden verschlüsselter Nachrichten öffentlich bekannt und womöglich von anderen Ländern **übernommen** werden würde.

Im Jahr 1989 zeichnete die französische Regierung Choctaw-Übermittler aus dem Ersten und Zweiten Weltkrieg mit dem Nationalen Verdienstorden aus. Es wurde auch an Comanche-Indianer aus dem Zweiten Weltkrieg vergeben.

Im Jahr 2001 erkannte der Kongress der Vereinigten Staaten die Bedeutung der Navajo-Übermittler an und verlieh ihnen Silbermedaillen. Im Jahr 2008 würdigte der Kongress mehrere Übermittler anderer indigener Stämme. Im Jahr 2013 wurde der Choctaw-**Stammesregierung** die Congressional Gold Medal für die Teilnahme einiger ihrer Mitglieder als Übermittler im Ersten und Zweiten Weltkrieg verliehen. Dies ist die höchste zivilrechtliche Auszeichnung in den Vereinigten Staaten.

DIE VIELFALT DER AMERIKANISCHEN INDIGENEN VÖLKER

Die Choctaw, Comanche und Navajo sind nicht die einzigen indigenen Völker in den Vereinigten Staaten und Kanada. Es gibt unzählige weitere Indianerstämme. Zum Beispiel gehören die Choctaw zu den sogenannten „Fünf zivilisierten Stämmen". Dieser Begriff umfasste die Cherokee-, Chickasaw-, Choctaw-, Creek- und Ceminole-Völker. Der **Begriff** stammt noch aus der Kolonialzeit und bezieht sich auf Ureinwohner, die **westliche Bräuche** übernommen hatten. Dazu zählte der Kauf von landwirtschaftlichen Gütern und Sklaven. Heute wird dieser Begriff wegen seiner rassistischen Bedeutung nicht mehr verwendet.

Derzeit gibt es in den Vereinigten Staaten mehr als 570 Indianerstämme. Gut die Hälfte von ihnen lebt in Reservaten. Insgesamt leben 4 Millionen amerikanische Indianer in den USA. Davon sprechen noch 400.000 Indianer eine der 135 Muttersprachen, zu denen auch Choctaw gehört.

Wusstest du schon?

Nicht selten wurden die indianischen Soldaten mit Japanern verwechselt, weil sie ihnen ähnlich sahen. Um Missverständnisse zu vermeiden, haben einige Kommandeure jedem Übermittler einen Leibwächter zugewiesen.

Vokabular

(die) Ureinwohner native people
(die) Übermittlung transmission
(die) Errungenschaften achievements
abgehört (abhören) to eavesdrop
siedelten (siedeln) to settle
(das) Volk people, nation
(der) Mangel lack, shortage
verantwortlich responsible
(die) Anerkennung recognition
übernommen (übernehmen) to take (on)
(die) Stammesregierung tribal government
(der) Begriff term
(die) westlichen Bräuche western traditions
(die) Missverständnisse misunderstandings
(der) Leibwächter bodyguard
zugewiesen (zuweisen) to assign

5.4. WIE HABEN DIE AFROAMERIKANER AM ZWEITEN WELTKRIEG TEILGENOMMEN?

- *Afroamerikaner haben an allen Kriegen mit US-amerikanischer Beteiligung teilgenommen.*
- *Zunächst waren sie für Hilfsarbeiten zuständig und kämpften in den unteren Rängen der Armee. Sie hatten keine Chance, militärische Missionen zu leiten.*
- *Im Zweiten Weltkrieg kämpften zum ersten Mal afroamerikanische Soldaten Seite an Seite mit den Weißen.*
- *Sie waren Truppenführer und konnten dieselben militärischen oder gar höhere Ränge haben als weiße Soldaten.*

Afroamerikaner haben nicht immer unter den gleichen Bedingungen wie heute an den Kriegen der Vereinigten Staaten teilgenommen. Vor dem Zweiten Weltkrieg kämpften weiße und schwarze Soldaten getrennt voneinander.

AFROAMERIKANER IN DER US-ARMEE

Afroamerikaner waren von der Marine und der Luftwaffe **ausgeschlossen** und durften nur in die Armee eintreten, wo sie jedoch nur **niedrige** Ränge bekleideten. Außerdem war die Anzahl der schwarzen Soldaten in der Armee **begrenzt**, damit sie den weißen Soldaten nicht überlegen waren. Die Armee begründete dies wie folgt:

1. Die Trennung **ermöglichte** eine ruhige und stabile Atmosphäre innerhalb der Armee.
2. Es sollte verhindert werden, dass „schlecht gebildete" und **ungeschulte** Afroamerikaner zum Militär **eingezogen** werden.
3. Die Trennung war der einzige Weg, schwarzen Truppen echte Möglichkeiten zu geben, innerhalb der Armee **aufzusteigen**, ohne mit weißen Truppen konkurrieren zu müssen.
4. Die öffentliche Meinung in den Vereinigten Staaten war dagegen, dass Weiße und Schwarze zusammenleben und Räumlichkeiten miteinander teilen.

Ab dem Zweiten Weltkrieg begannen Truppen beider Rassen, gemeinsam auf dem Schlachtfeld zu kämpfen.

AFROAMERIKANER IM ZWEITEN WELTKRIEG

Zu Beginn des Krieges wurden schwarze Truppen erst im letzten Moment auf das Schlachtfeld geschickt, wenn sie wirklich dringend gebraucht wurden. In den letzten Jahren des Zweiten Weltkriegs waren afroamerikanische Truppen in allen Bereichen des Militärs präsent, selbst in der Marine und der Luftwaffe. Afroamerikaner ersetzten in vielen Fällen weiße Soldaten, die gefallen waren.

Zum Kriegsbeginn sahen afroamerikanische Bürgerrechtler eine große Chance, in weitere Bereiche der Gesellschaft und des Militärs **vorzudringen**. Im Juni 1941 unterzeichnete Präsident Roosevelt die Executive Order 8802, die jegliche Diskriminierung aufgrund von Rasse, Glauben, Hautfarbe oder nationaler Herkunft in den amerikanischen Verteidigungsorganisationen verbot. Darüber hinaus erklärte First Lady Eleanor Roosevelt, dass afroamerikanische Soldaten innerhalb des Militärs nicht mehr diskriminiert werden dürften.

Afroamerikanische Truppen gingen erstmals im Jahr 1944 an die Front und waren vor allem in der Ardennenoffensive präsent. Die US-Armee brauchte Verstärkung und Ersatzsoldaten für jene weiße Soldaten, die an der Front gefallen waren. Tausende afroamerikanische Soldaten meldeten sich freiwillig. Sie wurden Teil ihrer eigenen schwarzen Divisionen, kämpften aber Seite an Seite mit den Divisionen aus weißen Soldaten. Zum ersten Mal kämpfte eine Division schwarzer Soldaten gemeinsam mit einer Division weißer Soldaten in derselben Schlacht.

Als die Vereinigten Staaten in den Zweiten Weltkrieg eintraten, hatten sie 97.725 afroamerikanische Soldaten. Bis Ende des Jahres 1942 stieg ihre Zahl auf 467.833. Bis Kriegsende nahmen 909.000 afroamerikanische Soldaten am Krieg teil. Zum Kriegsbeginn gehörten die meisten zu den Versorgungstruppen und kümmerten sich um den Nachschub, bauten Straßen, wuschen Uniformen, **beseitigten Ungeziefer** und transportierten **Proviant**. Bis Kriegsende waren schwarze US-Truppen in allen Bereichen der Marine, Luftwaffe und der Bodentruppen beteiligt. Das 24. Infanterieregiment war für den Erfolg des Pazifikkrieges von entscheidender Bedeutung. Das 92. Infanterieregiment kämpfte in ganz Europa. Sogar in der Luftwaffe gab es afroamerikanische Piloten, die deutsche Städte bombardierten.

So brachte der Zweite Weltkrieg den Beginn der Rassenintegration für das Militär der Vereinigten Staaten. Alle im Krieg beteiligten afroamerikanischen Soldaten taten dies mit derselben Motivation und Anstrengung wie jeder andere Soldat. Obwohl afroamerikanische Soldaten gemeinsam mit den Weißen auf fremdem Boden kämpften, kehrten sie nach dem Krieg in eine rassistische Gesellschaft zurück. Diese begann sich nicht zuletzt Dank des Einsatzes der Afroamerikaner im Zweiten Weltkrieg allmählich in eine Gesellschaft zu verwandeln, in der auch Schwarze besser integriert wurden.

Wusstest du schon?

Zu Beginn des Krieges gab es nur 48 schwarze Krankenschwestern. Sie behandelten nur afroamerikanische Soldaten und mischten sich nicht unter weiße Krankenschwestern. Gegen Ende des Krieges arbeiteten alle Krankenschwestern unabhängig ihrer Hautfarbe zusammen. Am Ende waren es fast 500 afroamerikanische Krankenschwestern.

Vokabular

(die) Ränge ranks
ausgeschlossen (ausschließen) to exclude
begrenzt (begrenzen) to limit
ermöglichte (ermöglichen) to enable
ungeschult untrained
eingezogen (einziehen) to draw in
aufzusteigen (aufsteigen) to move up
vorzudringen (vordringen) to advance
beseitigten Ungeziefer (Ungeziefer beseitigen) to eliminate vermin
(der) Proviant supplies

5.5. WIE WURDEN DIE JAPANER IN DEN USA UND IN MEXIKO BEHANDELT?

- *Nachdem die Vereinigten Staaten in den Zweiten Weltkrieg eingetreten waren, wurden die in Amerika lebenden Japaner als Feinde behandelt.*
- *Es begann ein Prozess, bei dem alle in den Vereinigten Staaten lebenden Japaner als potenzielle Feinde betrachtet wurden.*
- *Sie wurden verhaftet und in Konzentrationslager gebracht.*

Nach den Kriegen gegen China und Russland zur Jahrhundertwende wanderten viele Japaner auf der Suche nach einem besseren Leben in die USA, nach Kanada und nach Lateinamerika aus. Im Jahr 1939 lebten kurz vor Ausbruch des Zweiten Weltkrieg 440.000 Japaner in den USA und 250.000 weitere in Lateinamerika.

Viele der **Einwanderer** wurden in die Gesellschaft integriert und führten ein ganz normales Leben. Einige eröffneten eigene Geschäfte, sprachen die Landessprache und die **überwiegende** Mehrheit hatte bereits Kinder und Enkelkinder, die in dem Land geboren wurden.

Als die Vereinigten Staaten Japan nach dem Angriff auf Pearl Harbor den Krieg erklärten, kam es damit auch auf amerikanischem Boden zu einem internen Konflikt mit den dort lebenden Japanern. Die Vereinigten Staaten und andere Länder wie Kanada oder Mexiko begannen, Japaner als Feinde zu behandeln.

IN NORDAMERIKA LEBENDE JAPANER WÄHREND DES ZWEITEN WELTKRIEGS

In vielen Ländern Nordamerikas, wie beispielsweise Mexiko und den Vereinigten Staaten, wurde den Japanern ihre Nationalität genommen. Gleiches galt für ihre **Nachkommen**. Nicht wenige wurden nach Japan deportiert oder in Konzentrationslager gebracht. Oft wurde auch ihr gesamtes Eigentum **beschlagnahmt**. Dies stellte das Leben der japanischen Einwanderer auf den Kopf.

Diese Aktionen wurden damit **gerechtfertigt**, dass die US-Regierung die Japaner als potenzielle Spione und Feinde betrachtete, die das Land von innen angreifen würden. Es wurde angenommen, dass die in Amerika lebenden Japaner einen Angriff planen würden, der die Vereinigten Staaten und andere Länder der Region schwächen würde. Sie glaubten, dass die Japaner nach Pearl Harbor die Westküste der Vereinigten Staaten und Mexikos angreifen würden. Man dachte sogar, dass die in den USA lebenden Japaner planten, **Stauseen** zu sabotieren und Trinkwasser sowie Lebensmittel zu **vergiften**.

In den USA wurden nach dem Angriff auf Pearl Harbor bis zu 2.200 Japaner festgenommen. Ihnen wurde vorgeworfen, Teil eines Spionagenetzwerks zu sein, was jedoch nie **bewiesen** werden konnte. Der Rest der japanischen Bevölkerung in den Vereinigten Staaten wurde in Konzentrationslager gebracht, die sich in verschiedenen Gebieten des Landes befanden. Sie lebten während des gesamten Zweiten Weltkriegs in diesen Lagern. Das größte Konzentrationslager befand sich in Kalifornien und hieß Tule Lake. Dort wurden bis zu 19.000 Japaner gefangen gehalten.

In Mexiko wurden die Japaner zwar nicht in Konzentrationslager gebracht, aber sie wurden gezwungen, in den größten Städten des Landes zu leben. So wollte man sie **genauer im Blick haben**. Sie durften weder an der Küste noch in Grenzgebieten leben. Außerdem wurde ihr gesamtes **Eigentum** beschlagnahmt. Die Regierung übernahm viele Geschäfte, Unternehmen und Häuser, die japanischen Einwanderern gehörten.

DIE FOLGEN

Nach dem Sieg der USA im Zweiten Weltkrieg **verklagten** mehrere Bürger japanischer Abstammung die Regierung der Vereinigten Staaten vor Gericht. Sie beklagten, dass ihnen ihr Eigentum weggenommen worden sei und dass sie den ganzen Krieg über in Konzentrationslagern eingesperrt gewesen seien, als wären sie keine amerikanischen Staatsbürger. Die **Klagen** waren erfolgreich. Viele Japaner erhielten eine **Entschädigung** und eine öffentliche Entschuldigung für die Gräueltaten, die während des Krieges gegen sie begangen wurden. Im Falle Mexikos kam es nie zu einer Klage und es gibt bis heute keinerlei Entschuldigung seitens der mexikanischen Regierung für die wirtschaftlichen Verluste der damals in Mexiko lebenden Japaner.

Wusstest du schon?

Der Transport der Japaner in die Konzentrationslager verlief in jedem US-Bundesstaat unterschiedlich. Die Behandlung der japanischen Einwanderer hing von ihrer Anzahl ab, die in dem jeweiligen Bundesstaat lebten. In Hawaii zum Beispiel war mehr als ein Drittel der Bevölkerung japanischer Herkunft. Dort wurden mit nur etwa 1.500 Menschen vergleichsweise wenige Japaner eingesperrt, um die Wirtschaft der Region aufrechtzuerhalten.

Vokabular

(der) Einwanderer immigrant
überwiegend mainly
(die) Nachkommen descendant
beschlagnahmt (beschlagnahmen) to confiscate
gerechtfertigt (rechtfertigen) to justify
(die) Stauseen water reservoir
vergiften to poison
bewiesen (beweisen) to prove
genauer im Blick haben to have an eye on something
(das) Eigentum property
verklagten (verklagen) to sue
(die) Klagen legal action
(die) Entschädigung compensation, remuneration

5.6. WIE WURDEN DIE KRIEGSGEFANGENEN BEHANDELT?

- *Kriegsgefangene sind Soldaten, die während des Kriegs vom Feind gefangen genommen werden.*
- *Es können auch Mitglieder einer Guerillagruppe oder Zivilisten sein, die gegen den Feind kämpfen.*
- *Während des Zweiten Weltkriegs gab es auf beiden Seiten zahlreiche Kriegsgefangene.*

KRIEGSGEFANGENE: DIE DEFINITION

Der Begriff „Kriegsgefangener" ist recht neu. In der Antike wurden im Kampf besiegte Feinde entweder getötet oder **versklavt**. Das galt allerdings nicht nur für die Soldaten, sondern auch Frauen, Kinder und die Ältesten wurden ermordet oder als Sklaven genommen.

Im Mittelalter wurden die Angehörigen besiegter Nationen oder Königreiche schon etwas besser behandelt. So versuchten die Sieger, die Besiegten in ihre Gesellschaft zu integrieren, indem sie sie als Bauern arbeiten ließen. Doch auch weiterhin wurde in vielen Fällen gemordet.

Ab dem 19. Jahrhundert begannen westliche Länder, Gefangene würdevoller zu behandeln. So wurde versucht, in mehreren Verträgen einen in allen Unterzeichnerstaaten gültigen **Umgang** mit Kriegsgefangenen zu **vereinbaren**. Das Haager Abkommen (1899) und die Genfer Konventionen (1864) sind zwei Beispiele dafür.

Trotz der gut gemeinten Absichten wurde keine dieser Vereinbarungen vollständig umgesetzt. Ihr **Scheitern** war darauf zurückzuführen, dass es keine Institution gab, um die Vereinbarungen durchzusetzen. So kam es beispielsweise im Amerikanischen Bürgerkrieg (1861-1865), im Deutsch-Französischen Krieg (1870-71) und sogar im Ersten Weltkrieg (1914-1918) zu zahlreichen Verstößen. Zwar wurden in all diesen Kriegen Kriegsgefangene nicht wie Sklaven behandelt, aber sie wurden häufig gefoltert, getötet oder zu Zwangsarbeit gezwungen.

DIE KRIEGSGEFANGENEN DES ZWEITEN WELTKRIEGS

Während des Zweiten Weltkriegs wurden Millionen Kriegsgefangene gefangen genommen. Einige wurden mit Würde behandelt, andere hingegen unmenschlich.

Die Vereinigten Staaten und Großbritannien behandelten Kriegsgefangene nach den Vorgaben des Haager Abkommens und der Genfer Konventionen. Das heißt, dass sie nicht um ihr Leben fürchten mussten. Allerdings gab es auch einige Ausnahmen. Nach dem Krieg verklagten viele Kriegsgefangene die jeweiligen Länder wegen der Misshandlung und Folter während ihrer Kriegsgefangenschaft.

Deutschland behandelte Kriegsgefangene je nach ihrer Herkunft. Zum Beispiel behandelten sie britische, französische und amerikanische Kriegsgefangene relativ gut. Sowjetische, polnische und osteuropäische Gefangene wurden hingegen sehr schlecht behandelt und wurden sogar systematisch ermordet. Von den fast 6 Millionen von Deutschland gefangen genommenen sowjetischen Soldaten überlebten nur 2 Millionen. Viele von ihnen verhungerten elendig.

Im Gegenzug nahm die Sowjetunion 3,4 Millionen Deutsche gefangen. Tausende von ihnen wurden in Arbeitslager oder Gulags geschickt, wo viele durch Erschöpfung, **Mangelernährung** und extreme Wetterbedingungen starben. Die UdSSR baute außerdem 300 Konzentrationslager in verschiedenen sowjetischen Städten. An diesen Orten wurden Gefangene der Achsenmächte eingesperrt: Deutsche, Italiener, Rumänen, Ungarn, Finnen, Kroaten und Schweden. Viele von ihnen wurden zum Bau von Häusern, Brücken und Stauseen gezwungen. Nur 15 % der Gefangenen überlebten das Kriegsende in der Sowjetunion. Viele von ihnen starben in den strengen Wintern wegen der Mangelernährung und fehlender Kleidung sowie angemessenem Wohnraum.

Die Japaner behandelten amerikanische, chinesische, britische und australische Kriegsgefangene sehr brutal. Nur 60 % der Kriegsgefangenen überlebten in Japan. Nach dem Krieg erzählte Peter Lee, ein Soldat der britischen Royal Air Force, von seinen Erfahrungen als japanischer Kriegsgefangener. Sie bekamen nicht genug zu essen, litten an Krankheiten und wurden oft geschlagen. Die Japaner zwangen Peter und seine Kameraden, einen Flughafen auf Borneo zu bauen. Sie wurden geschlagen, wenn sie nicht schnell genug arbeiteten.

DIE ÜBERARBEITUNG DER GENFER KONVENTIONEN

Nach dem Zweiten Weltkrieg wurden die Genfer Konventionen überarbeitet, weil während des Krieges viele Kriegsgefangene unter Misshandlungen litten. In den Genfer Konventionen heißt es:

1. Kriegsgefangene sollen von der Front entfernt werden, an einen sicheren Ort gebracht werden und müssen ihre Staatsangehörigkeit behalten.

2. Die Definition eines Kriegsgefangenen wurde weiter gefasst und umfasst nun Mitglieder von Milizen und Guerillas, zivile Freiwillige, Mitglieder des Widerstands sowie Kuriere und Zivilisten, die als Hilfskräfte fungierten.

3. Während eines bewaffneten Konflikts können Gefangene in ihr Heimatland oder in ein neutrales Land geschickt werden.

4. Am Ende des Krieges müssen die Kriegsgefangenen entlassen werden. Ihnen muss geholfen werden, so schnell wie möglich in ihre Heimat zurückzukehren.

Die einzige Ausnahme sind jene Soldaten oder Zivilisten, die wegen ihrer Kriegsverbrechen vor Gericht gestellt werden müssen.

Wusstest du schon?

Die Einheit 371 der kaiserlichen japanischen Armee führte biologische Experimente an ihren Kriegsgefangenen sowie an gefangenen Zivilisten durch. Bis Kriegsende sind in Asien mehr als eine halbe Million Menschen an der biologischen Kriegsführung durch die Japaner gestorben.

Vokabular

versklavt (versklaven) to enslave
(der) Umgang handling
vereinbaren to arrange
(das) Scheitern failure
im Gegenzug in return
(die) Mangelernährung malnutrition

6. DAS ENDE DES ZWEITEN WELTKRIEGS

US-amerikanische Truppen stürmen Omaha Beach an der Normandie, D-Day (Foto auf goodfreephotos.com)

Der Zweite Weltkrieg hatte genau genommen zwei Enden, eines in Europa und eines im Pazifik. Am 30. April 1945 eroberten die Sowjets den Deutschen Reichstag und die Reichskanzlei. Hitler beging am selben Tag in seinem Bunker Selbstmord. Der 30. April ging als Ende des

Zweiten Weltkriegs in Europa in die Geschichte ein. Die Japaner kapitulierten am 2. September 1945 in der Bucht von Tokio, nachdem zwei Atombomben auf ihr Territorium abgeworfen worden waren. Dieses Datum gilt als das Ende des Zweiten Weltkriegs im Pazifik.

Die Auswirkungen des Krieges waren weltweit zu spüren. Die gesamte Weltordnung änderte sich: Die alten europäischen Mächte (Italien, Deutschland, Frankreich und Großbritannien) verloren an Bedeutung und zwei neue Weltmächte wurden geboren: die Vereinigten Staaten und die Sowjetunion. Beide Supermächte führten während des gesamten 20. Jahrhunderts einen wirtschaftlichen und politischen Konflikt, der als Kalter Krieg bezeichnet wird.

Der Kalte Krieg bestand aus einer Reihe diplomatischer Angriffe und **Stellvertreterkriege**, bei denen die kapitalistischen Ideale der Vereinigten Staaten und die kommunistischen Ideen der Sowjetunion aufeinander prallten.

Die Auswirkungen des Zweiten Weltkriegs waren jedoch nicht nur politischer und wirtschaftlicher Natur. Der Krieg brachte neue Technologien hervor, die heute weit verbreitet sind. Dazu zählen neue Arten der Lebensmittelkonservierung sowie Innovationen bei Flugzeugen und Flugreisen.

Nach dem Zweiten Weltkrieg wurden mehrere Prozesse zur Verurteilung von Kriegsverbrechern abgehalten. Die bekanntesten waren die Nürnberger und Tokioter Prozesse.

Im nächsten Kapitel betrachten wir, wie der Zweite Weltkrieg in Europa und im Pazifik endete und welchen Einfluss das Ende des Krieges auf das restliche 20. Jahrhundert hatte.

Vokabular

(die) Stellvertreterkriege proxy wars

6.1. WANN ENDETE DER ZWEITE WELTKRIEG IN EUROPA UND IM PAZIFIK?

- *Der Zweite Weltkrieg fand an zwei großen Fronten statt, eine in Europa und eine im Pazifik*
- *In Europa endete der Zweite Weltkrieg nach den Offensiven der Alliierten, die sowohl aus dem Westen und auch aus dem Süden vordrangen.*
- *Der japanische Kaiser kapitulierte, als das US-Militär zwei Atombomben auf Japan abgeworfen hatte.*

DER SIEG IN EUROPA

Ab der zweiten Hälfte des Jahres 1944 wurde Deutschland von zwei Fronten angegriffen. Die amerikanischen und britischen Truppen befanden sich an der westlichen Front. Die andere Front lag im Osten, aus der die sowjetischen Truppen vorrückten. Ab diesem Moment begann ein Wettlauf auf Berlin zwischen den alliierten Armeen.

Im Dezember 1944 startete Hitler eine **Großoffensive** gegen die Westfront in den Ardennen (Frankreich). Hitler wollte die gemeinsame Front der Briten und US-Amerikaner in zwei Teile teilen, um sie zu schwächen. Obwohl die Offensive den amerikanischen und britischen Angriff **verzögerte**, konnten die Alliierten nach einiger Zeit weiter in Richtung der deutschen Hauptstadt vordringen. Hitler riskierte bei diesem Angriff alles und Deutschland verlor 250.000 Soldaten und 600 Panzer.

Im Januar 1945 erreichten sowjetische Truppen die Oder und waren nur noch 80 Kilometer von Berlin entfernt. Die deutschen Truppen hielten so lange wie möglich aus, damit möglichst viele Deutsche in dem von Briten und Amerikanern kontrollierten Westen des Landes fliehen konnten.

Im Februar 1945 bombardierten die Vereinigten Staaten und britische Luftstreitkräfte Dresden und andere deutsche Städte. Diese Angriffe dienten der Unterstützung des **Vormarsches** alliierter Truppen auf deutsches Gebiet. Viele Städte wurden völlig zerstört und etwa 70.000 Menschen starben bei den Luftangriffen.

Obwohl die Alliierten Berlin **umzingelt** hatten, befahl Hitler, dass weder Soldaten noch Zivilisten fliehen durften. Er befahl auch älteren Menschen und Jugendlichen, sich der Armee anzuschließen, um die Hauptstadt zu verteidigen. So kämpften 50.000 Soldaten (darunter 40.000 Alte und Jugendliche) gegen 450.000 sowjetische Soldaten. Bereits im April war die Stadt in den Händen der Sowjets.

Am 22. April gestand sich Hitler ein, dass die Schlacht verloren war und niemand ihn retten würde. Er beschloss, in Berlin zu bleiben und Selbstmord zu begehen. Er starb am 30. April 1945, jenem Tag, an dem sowjetische Truppen den Deutschen Reichstag und die Reichskanzlei besetzten.

Er wurde 56 Jahre alt. Die deutsche Kapitulation wurde der Welt am 8. und 9. Mai offiziell verkündet.

DER SIEG IM PAZIFIK

Nach der Kapitulation Deutschlands entschieden sich die Japaner, dennoch weiterzukämpfen. Sie verteidigten weiterhin ihr Territorium und griffen alliierte Truppen im Pazifik an. Obwohl die japanischen Truppen über weniger Ressourcen und Waffen verfügten, stellten sie sich gegen die **anrückenden** Alliierten. Sie verloren jedoch die Insel Iwo Jima. Von dort aus begannen die Alliierten, die japanischen Hauptinseln immer mehr zu bedrohen.

Der Vormarsch der Vereinigten Staaten im Pazifik und von Insel zu Insel war sehr langsam und beide Seiten verloren unzählige Soldaten. Aus diesem Grund beschloss der damalige Präsident der Vereinigten Staaten, eine neu entwickelte Waffe einzusetzen: die Atombombe.

Im Jahr 1939 erkannten amerikanische Wissenschaftler dank verschiedener deutscher Experimente die zerstörerische Fähigkeit der Kernspaltung. Noch im selben Jahr warnte Albert Einstein vor den Gefahren der Atombombe. Im Jahr 1941 wurde **im Rahmen** des Manhattan-Projekts die erste Atombombe entwickelt. Das Projekt wurde von Generalmajor Leslie Groves vom United States Army Corps of Engineers und dem Nuklearphysiker Robert Oppenheimer als Direktor des Los Alamos Laboratory geleitet. Die Gruppe entwarf die

Atombombe, die es ermöglichte, den Krieg in Japan im Rahmen des Manhattan-Projekts zu gewinnen. Vier Jahre später, am 16. Juli 1945, wurde die Bombe in Alamogordo im US-Bundesstaat New Mexico getestet.

Am 6. August 1945 wurde die erste Atombombe über der Stadt Hiroshima in Japan abgeworfen. Dabei starben auf der Stelle mehr als 50.000 Menschen. Bis Ende des Jahres stieg die Zahl der Toten wegen der Radioaktivität auf 100.000. Am 8. August erklärte die Sowjetunion Japan den Krieg und fiel in die von Japan kontrollierten Gebiete der Mandschurei und in Korea ein.

Da Japan nicht kapitulierte, warfen die Vereinigten Staaten am 9. August 1945 eine zweite Atombombe auf Nagasaki ab. Mehr als 40.000 Menschen starben bei dem Angriff. Die japanische Regierung unterzeichnete am 2. September 1945 in der Bucht von Tokio die Kapitulationserklärung.

Wusstest du schon?

Die in Japan eingesetzten Atombomben hatten die gleiche Wirkung wie 15.000 Tonnen TNT.

Vokabular

(die) Großoffensive major offensive
verzögerte (verzögern) to delay
(der) Vormarsch advance
umzingelt (umzingeln) to surround
gestand sich ein (sich eingestehen) sich eingestehen
anrückenden (anrücken) to approach, to advance
im Rahmen as part of

6.2. WAS WAREN DIE AUSWIRKUNGEN DES KRIEGES?

- *Der Zweite Weltkrieg war eine wichtige Zäsur in der Weltgeschichte.*
- *Nach dem Krieg verlor Europa seine wirtschaftliche und politische Vormachtstellung, während die UdSSR und die Vereinigten Staaten zu Weltmächten wurden.*
- *Die Massenproduktion von Atomwaffen begann und die Vereinten Nationen (UN) wurden gegründet, um einen weiteren Weltkrieg zu verhindern.*

DER URSPRUNG DER BEIDEN SUPERMÄCHTE: DIE SOWJETUNION UND DIE VEREINIGTEN STAATEN

Nach dem Ende des Zweiten Weltkriegs wurden die wirtschaftlichen Auswirkungen des Kriegs in Europa sichtbar.

Vor dem Zweiten Weltkrieg waren Deutschland, Italien, Frankreich und Großbritannien Weltmächte. Nach dem Krieg waren all diese Länder stark geschwächt. Deutschland wurde in West- und Ostdeutschland aufgeteilt und völlig zerstört. Frankreich und Italien waren **bankrott** und Großbritannien hatte enorme Schulden bei den Vereinigten Staaten. Zahlreiche große europäische Städte wurden zusammen mit ihren Industrien, **Schienennetzen,** Straßen und Autobahnen vollständig zerstört. Schätzungen zufolge verlor Europa bis Kriegsende fast 50 % seines Industriesektors.

Auch der Agrarsektor erlitt schlimme Folgen, da Tausende von Bauernhöfen und Feldern zerstört wurden, was zu Hungersnöten in ganz Europa führte.

Einzig und allein die Rüstungshersteller profitierten vom Zweiten Weltkrieg. Besonders die Vereinigten Staaten und die Sowjetunion konnten ihre **Einnahmen** durch den Verkauf von Kriegsgerät steigern.

Zum Kriegsende waren die Vereinigten Staaten die größte Wirtschafts- und Militärmacht. Es war das einzige Land, das seine Industrieproduktion steigerte, weil es während des Kriegs eine große Anzahl von Produkten und Waren nach Europa verkaufte. Im Jahr 1945 kontrollierte es mehr als die Hälfte der weltweiten Goldreserven. Darüber hinaus verfügten die USA über die größte Luftwaffe der Welt. Als Erfinder der Atombombe hatten sie zudem ein großes Waffenarsenal dieser neuartigen Waffe.

Im Gegensatz dazu ging die Sowjetunion mit etwas geschwächter Wirtschaft und militärischer Stärke aus dem Zweiten Weltkrieg hervor, obwohl sie über eine starke Industrie, ein riesiges Staatsterritorium und eine große Bevölkerung verfügte. Seine Armee war nach wie vor die größte der Welt. Im Jahr 1949 bauten die Sowjets ihre erste Atombombe, sodass die Vereinigten Staaten ihr Atommonopol verloren.

DIE GRÜNDUNG DER VEREINTEN NATIONEN

Während des Zweiten Weltkriegs wurden mehrere Konferenzen abgehalten, um eine Organisation zur Wahrung des Weltfriedens zu gründen. Diese Institution ersetzte den Völkerbund und erhielt den Namen Vereinte Nationen (UN).

Die UNO wurde im Oktober 1945 gegründet, als die Charta der Vereinten Nationen in San Francisco unterzeichnet wurde. Die Hauptziele der UNO sind:

- Die Wahrung des Weltfriedens und die Vermeidung von Kriegen.
- Die **Förderung** des wirtschaftlichen, wissenschaftlichen und kulturellen Fortschritts in der Welt, mit besonderem Schwerpunkt auf den Entwicklungsländern.
- Die Verteidigung der Menschenrechte und des Völkerrechts.

Die UN hat mehrere Kommissionen und Organisationen gegründet, die bestimmte Probleme der Welt in Angriff nehmen. Dazu gehören:

- **Die Menschenrechtskommission**. Sie ist dafür verantwortlich, die Achtung der **Grundrechte** aller Menschen sicherzustellen.
- **Die Internationale Arbeitsorganisation (ILO)**. Sie hat die Aufgabe, die Arbeitsbedingungen weltweit

zu verbessern. Die Ziele dieser Organisation sind die Gewährleistung angemessener **Löhne**, 8-Stunden-Arbeitstage, die Bildung von **Gewerkschaften** und der Zugang zu allgemeiner sozialer Sicherheit.

- **Die Weltgesundheitsorganisation (WHO).** Sie hat die Mission, den Zugang zu Gesundheitsdiensten weltweit sicherzustellen. Außerdem bekämpft sie weltweit Krankheiten, organisiert Impfkampagnen und finanziert medizinische Forschung.

- **Die Ernährungs- und Landwirtschaftsorganisation (FAO)** setzt sich dafür ein, die landwirtschaftliche Produktion weltweit zu fördern und den Hunger in der Welt zu beseitigen.

- **Die Organisation der Vereinten Nationen für Erziehung, Wissenschaft und Kultur (UNESCO)** ist für die Förderung der **Alphabetisierung** auf globaler Ebene, die wissenschaftliche und künstlerische Produktion und die Zusammenarbeit zwischen den Ländern in künstlerischen und kulturellen Projekten verantwortlich.

WEITERE AUSWIRKUNGEN DES ZWEITEN WELTKRIEGS

Eine der gefährlichsten Folgen des Zweiten Weltkriegs war der Beginn der groß angelegten Herstellung von Atomwaffen. Einige Länder wie die UdSSR oder die Vereinigten Staaten produzierten eine große Anzahl von

Atombomben, um ihre möglichen Feinde **einzuschüchtern**. Deswegen war die Welt in der zweiten Hälfte des 20. Jahrhunderts ständig von einem Atomkrieg bedroht. Selbst heute drohen verschiedene Mächte trotz Verträgen zur Denuklearisierung, mehr Atomwaffen einzusetzen und zu entwickeln.

Viele Länder erklärten nach dem Zweiten Weltkrieg ihre **Unabhängigkeit**. Die asiatischen Kolonien Großbritanniens, Frankreichs und der Niederlande beanspruchten als erste ihre Unabhängigkeit. Nachdem sie mehrere Jahre damit verbracht hatten, japanische Angriffe und Invasionen abzuwehren, wollten sie sich nicht erneut den europäischen Ländern **unterwerfen**. Auch in Afrika und im Nahen Osten wurden die Unabhängigkeitskämpfe intensiver. In diesen Gebieten **entstanden** zwischen den 50er und 70er Jahren viele neue Länder.

Wusstest du schon?

Einige der asiatischen Länder, die nach dem Zweiten Weltkrieg ihre Unabhängigkeit erlangten, waren Malaysia, Singapur, Burma (Myanmar), Französisch-Indochina (das heutige Vietnam, Laos und Kambodscha) und Niederländisch-Westindien (Indonesien).

Vokabular

(die) Zäsur break
(die) Schienennetze rail networks
(die) Einnahmen revenue
(die) Förderung support
die Menschenrechtskommission Human Rights Commission
(die) Grundrechte fundamental rights
die Internationale Arbeiterorganisation International Labor Organization
(die) Löhne wages
(die) Gewerkschaften unions
die Weltgesundheitsorganisation World Health Organisation
die Ernährungs- und Landwirtschaftsorganisation Food and Agriculture Organization
die Organisation der Vereinten Nationen für Erziehung, Wissenschaft und Kultur United Nations Educational, Scientific and Cultural Organization
(die) Alphabetisierung literacy
einzuschüchtern (einschüchtern) to intimidate
(die) Unabhängigkeit independence
unterwerfen subdue
entstanden (entstehen) to arise, to emerge

6.3 WIE VERLIEFEN DIE NÜRNBERGER PROZESSE?

- *In Nürnberg fanden nach dem Zweiten Weltkrieg die Nürnberger Prozesse statt.*
- *In ihnen wurden NS-Führer, die Kriegsverbrechen begangen hatten, vor Gericht gestellt.*
- *Es gab mit den Prozessen in Tokio auch weitere Prozesse neben denen von Nürnberg.*

DIE NÜRNBERGER PROZESSE

Während des Zweiten Weltkriegs **kündigten** die Alliierten **an**, Nazi-Kriegsverbrecher zu verurteilen, sobald der Krieg vorbei sei.

Am 17. Dezember 1942 erklärten die Alliierten erstmals, dass sie den Massenmord an Juden bestrafen würden. Im Oktober 1943 unterzeichneten Churchill, Roosevelt und Stalin die Moskauer Deklaration, die sicherstellte, dass Kriegsverbrecher nach dem Krieg in die Länder, in denen sie ihre Verbrechen begangen hatten, **vor Gericht gestellt** würden.

Zwischen dem 18. Oktober 1945 und dem 1. Oktober 1946 hielt der Internationale Militärgerichtshof die Nürnberger Prozesse in Deutschland ab. Es wurden 22 Personen vor Gericht gestellt, denen unter anderem **Verschwörung**,

Verletzung von Kriegsrechten und **Verbrechen** gegen die Menschlichkeit vorgeworfen wurden. Die meisten Angeklagten gaben diese Verbrechen zu, betonten jedoch, dass sie nur Befehle ausführten.

Von den 22 Angeklagten wurden 12 wegen direkter Beteiligung an der systematischen Ermordung von Juden und Kriegsgefangenen zum Tode **verurteilt**. Darüber hinaus wurden drei Angeklagte zu **lebenslanger Haft** und vier weitere zu Haftstrafen zwischen 10 und 20 Jahren verurteilt. Dabei handelte es sich um hohe Beamte und Geschäftsleute, die indirekt an der Ermordung von Gefangenen beteiligt waren. Ihnen wurde auch vorgeworfen, Gefangene zur Zwangsarbeit eingesetzt zu haben. Drei Angeklagte wurden **begnadigt**.

WEITERE PROZESSE NACH DEN NÜRNBERGER PROZESSEN

Nach den Nürnberger Prozessen wurde ein Gesetz verabschiedet, um weitere Prozesse außerhalb Deutschlands gegen NS-Verbrecher durchzuführen. Diese Prozesse sind heute als Nachfolgeprozesse bekannt. US-General Telford Taylor wurde für diese Verfahren zum leitenden Ankläger ernannt.

Sie fanden auf der ganzen Welt statt wie in verschiedenen Regionen Großbritanniens, der Vereinigten Staaten, Frankreichs, Italiens, der Sowjetunion und Österreichs. Die Angeklagten in diesen Prozessen waren zweitrangige NS-Beamte wie KZ-Wächter und Kommandanten, Polizisten,

Angehörige der SS und Ärzte, die Menschenversuche durchführten.

In den Vereinigten Staaten wurden 183 Angeklagte in 12 Prozessen vor Gericht gestellt. Von diesen Angeklagten erhielten 12 die Todesstrafe, 8 lebenslange Haftstrafen und 77 eine kurze Haftstrafe. Der Rest wurde begnadigt. Im Jahr 1947 verurteilten die polnischen Gerichte Rudolf Höß als Kommandanten von Auschwitz zum Tode. Das Konzentrationslager Auschwitz war eines der größten von den Nazis errichteten Konzentrationslagern. Mindestens 1,1 Millionen Juden wurden dort ermordet.

Es gab mehrere Nazi-Jäger, die sich der Verfolgung der aus Europa geflüchteten Kriegsverbrecher widmeten. Die bekanntesten waren Beate Klarsfeld und Simon Wiesenthal. Sie nahmen den nach dem Krieg nach Argentinien geflüchteten Adolf Eichmann fest, lieferten ihn nach Israel aus und stellten ihn dort vor Gericht. Eichmanns Prozess fand in Jerusalem statt und endete 1962 mit seinem Todesurteil. Eichmann war einer der **Hauptverantwortlichen** für den Massenmord an Juden, da er deren **Verteilung** auf verschiedene Konzentrationslager koordinierte.

DIE TOKIOTER PROZESSE

In Japan fanden ebenfalls Gerichtsverfahren statt. Diese sind als die Tokioter Prozesse bekannt. In ihnen wurden japanische Kriegsverbrecher vor Gericht gestellt. Es gab 45 Angeklagte, von denen 27 zum Tode, 16 zu lebenslanger

Haft und 2 weitere zu kurzen Haftstrafen verurteilt wurden.

Keiner der Angeklagten **verbüßte** jedoch eine lebenslange Haftstrafe, da die japanische Regierung sie 1958 begnadigte. Damals glaubten die Verantwortlichen in Japan nicht, dass die japanischen Kriegsverbrecher lebenslange Haftstrafen verdient hatten, weil sie lediglich die Interessen der japanischen Nation verteidigten.

Wusstest du schon?

Während der Nürnberger Prozesse versuchte Rudolf Höß als psychisch Wahnsinniger aufzutreten, um ein milderes Strafmaß zu erhalten. Er konnte jedoch niemanden überzeugen. Höß korrigierte den Richter sogar während des Prozesses, indem er ihm sagte, dass in Auschwitz nicht drei Millionen Juden ermordet worden seien, sondern nur zweieinhalb Millionen. Die anderen starben ihm zufolge an Hunger und Erschöpfung.

Vokabular

kündigten an (ankündigen) to announce
vor Gericht gestellt (vor Gericht stellen) to bring to justice
(die) Verschwörung conspiracy
(das) Verbrechen crime
verurteilt (verurteilen) to judge
(die) lebenslange Haft imprisonment for life
begnadigt (begnadigen) to pardon
(die) Hauptverantwortlichen main responsible person
(die) Verteilung distribution
verbüßte (verbüßen) to serve
(der) Wahnsinnige maniac
(das) mildere Strafmaß lighter sentence

6.4. WELCHE ERFINDUNGEN HATTEN IHREN URSPRUNG IM ZWEITEN WELTKRIEG?

- *Während des Zweiten Weltkriegs kam es zu vielen technologischen Fortschritten, um einen Vorteil gegenüber dem Feind zu erlangen.*
- *Im Zweiten Weltkrieg wurden neben der Kommunikation und Lebensmittelkonservierung auch die Waffen optimiert.*
- *Viele dieser technologischen Fortschritte sind Teil unseres heutigen Alltags.*

DIE „FREQUENZSPREIZUNG“ DER VEREINIGTEN STAATEN

Die Vereinigten Staaten wussten, dass sie den Zweiten Weltkrieg nur durch die Entwicklung neuer Waffen und Telekommunikationssysteme gewinnen konnten. Daher förderten sie die Schaffung neuer Erfindungen in diesen Bereichen. Eine dieser Erfinderinnen war Hedy Lamarr, die zusammen mit George Antheil das „Secret Communication System“ erfand, das heute als Frequenzspreizung bekannt ist.

Dieses Kommunikationssystem übermittelte Nachrichten auf verschiedenen Frequenzen, um Informationen sicher und effektiv zu übermitteln. Es wurde bis in die 1960er Jahre nur beim Militär eingesetzt, weil es so teuer war. Es wurde auch dafür genutzt, um zielsuchende Torpedos zu bauen, die nicht von den Feinden entdeckt werden konnten.

Die Erfinder der Frequenzspreizung arbeiteten in Hollywood. Hedy Lamarr war eine berühmte Schauspielerin und George Antheil war ein Filmpianist. Derzeit wird die Technologie in Telekommunikationssystemen wie Bluetooth, GPS oder WLAN verwendet. Aus diesem Grund wurden Lamarr und Antheil 2014 in die Inventors Hall of Fame aufgenommen.

DIE ENTSCHLÜSSELUNG DER ENIGMA-MASCHINE

Während des Krieges übermittelten die Deutschen ihre verschlüsselten Nachrichten über eine **Verschlüsselungsmaschine** namens Enigma. Alle Enigma-Maschinen wurden so konfiguriert, dass Nachrichten absolut sicher übertragen wurden. Die Alliierten **erfassten** diese Nachrichten, konnten sie aber nicht lesen. Sie versuchten, sie zu **entschlüsseln**, um mehr über die deutschen Pläne und Strategien zu erfahren.

Die Alliierten stellten die klügsten Köpfe aus Polen, Frankreich und Großbritannien ein, um die Enigma-Maschine zu knacken. Viele von ihnen waren die besten Mathematiker, Statistiker und Kryptografen der Welt. Unter ihnen war Alan Turing, der eine weitere Maschine erfand, mit der die Briten die mit Enigma codierten

Nachrichten entschlüsseln konnten. Seine Maschine hieß „die Bombe“ und gilt heute als **Vorläufer** moderner Computer. Alan Turing widmete sein ganzes Leben der Forschung, um eine universelle Maschine für den allgemeinen Gebrauch zu schaffen. Er fertigte damit einen Prototyp der heutigen Computer an.

DRUCKKABINEN VON FLUGZEUGEN

Eine der fortschrittlichsten Technologien im Zweiten Weltkrieg war die Luftfahrt. Beide Seiten konzentrierten sich auf die Verbesserung und Entwicklung neuer Flugzeugmodelle, weil sie glaubten, dass der Krieg nur aus der Luft gewonnen werden könne.

Einer dieser Fortschritte war die **Druckkabine**. Vor dieser Erfindung hatten die Flugzeuge **Sauerstoffmasken** für jeden Piloten und die **Besatzung**. Es wurden vollständig **luftdichte** Flugzeuge entwickelt, um keine Masken mehr zu benötigen. So wurde verhindert, dass Luft aus dem Flugzeuginneren entweichen konnte. Die Fenster wurden kleiner und die Kabinen wurden zu Druckkammern.

Die United States Air Force begann bereits im Jahr 1937 mit der Entwicklung dieser Technologie. Sie wurde in den B-29 Superfortress-Bombern eingesetzt, die von der Boeing Company während des Zweiten Weltkriegs gebaut wurden. Diese Bomber hatten **Druckkammern** für Piloten und Passagiere. Dank ihnen reisten Soldaten und Piloten viel bequemer und sicherer.

WEITERE ERFINDUNGEN

Es gibt viele andere Produkte, die während des Zweiten Weltkriegs entwickelt wurden und aus heutiger Sicht völlig normal erscheinen. Dazu gehört die Atombombe genauso wie Erfindungen wie **Konserven** oder M&Ms (mit Karamell umhüllte Schokolade). Seit dem Zweiten Weltkrieg wurde Penicillin viel häufiger verwendet. Auch **Ultraschall**, **Damenbinden** und Sonnenbrillen sind seither nicht mehr wegzudenken.

Wusstest du schon?

Trotz ihrer Vergangenheit als Schauspielerin gewann Hedy Lamarr als erste Frau den BULBIE Gnass Spirit of Achievement. Im Jahr 2017 wurde sie für alle Erfindungen ihres Lebens ausgezeichnet, insbesondere für das „Scattered Spectrum" (Frequenzspreizung). Diese Auszeichnung gilt als der „Oscar" der Erfinder.

Vokabular

(die) Verschlüsselungsmaschine encryption machine
erfassten (erfassen) to capture, to record
entschlüsseln to decipher
(der) Vorläufer precursor
(die) Druckkabine pressurized cabin
(die) Sauerstoffmasken oxygen masks
(die) Besatzung crew
luftdicht airtight
(die) Druckkammern pressure chambers
(die) Konserven canned goods
(der) Ultraschall ultrasound
(die) Damenbinden sanitary napkins

6.5. WIE SETZTEN SICH DIE KONFLIKTE WÄHREND DES KALTEN KRIEGES FORT?

- *Nach dem Zweiten Weltkrieg verschärfte sich der Konflikt zwischen den Vereinigten Staaten und der Sowjetunion.*
- *Sie erklärten sich nie den Krieg, aber es begann eine neue Form des Konflikts, die als Kalter Krieg bezeichnet wird.*
- *Der Kalte Krieg dauerte von 1945 bis 1991. Er bestand aus indirekten, medialen, wirtschaftlichen und politischen Angriffen zwischen den beiden Supermächten.*

DER OSTBLOCK UND DER KAPITALISTISCHE WESTEN

Nach dem Zweiten Weltkrieg wurde die Welt in zwei große Blöcke geteilt, die sich ideologisch völlig unterschieden. Die westliche Welt war kapitalistisch und wurde von den Vereinigten Staaten von Amerika angeführt. Der andere Teil der Welt war kommunistisch und folgte der Sowjetunion.

Zwischen 1945 und 1948 warben die Vereinigten Staaten und die Sowjetunion um Verbündete. Die folgenden Blöcke wurden gebildet:

1. **Der westliche (kapitalistische) Block**: Die Kernmitglieder waren neben den USA zahlreiche westeuropäische Länder sowie Kanada, Australien, Neuseeland, die Türkei und Japan.

2. Im Jahr 1949 gründeten sie ein Militärbündnis namens Atlantisches Bündnis (NATO).

3. **Der (kommunistische) Ostblock:** Er bestand neben der Sowjetunion aus vielen osteuropäischen Ländern wie Polen, Ungarn, Rumänien, Bulgarien, Jugoslawien, Albanien, der Tschechoslowakei und der DDR. Nordkorea und China traten diesem Block bei, als sie den Kommunismus als ihr Regierungssystem annahmen.

Im Jahr 1945 gründeten sie das Militärbündnis namens Warschauer Pakt.

Beide Blöcke hatten völlig entgegengesetzte wirtschaftliche, politische und soziale Systeme. Das kapitalistische System basiert auf der Schaffung von wirtschaftlichem Wohlstand durch Privateigentum und den freien Markt. Das kommunistische System konzentriert sich auf **kollektives Eigentum** und das Teilen von Reichtum, um gemeinsame Ziele zu erreichen.

DER BEGINN DES KALTEN KRIEGES

Der Kalte Krieg zwischen dem kommunistischen und dem kapitalistischen Block begann, als sowohl die Vereinigten

Staaten und die Sowjetunion ihren **Einfluss** in der Welt **auszubauen** versuchten.

Nach dem Zweiten Weltkrieg verstärkten die Vereinigten Staaten ihren wirtschaftlichen und politischen Einfluss in ganz Europa. Dies wurde durch die Truman-Doktrin und den Marshall-Plan erreicht. Die Truman-Doktrin sollte Ländern helfen, die vom **Vordringen** des Kommunismus bedroht waren. Unter der Truman-Doktrin gaben die Vereinigten Staaten Griechenland und der Türkei Waffen und Geld, um sich gegen den Druck der Sowjetunion zu verteidigen.

Der Marshallplan bot Westeuropa US-Hilfe an, um sich von der durch den Zweiten Weltkrieg verursachten Wirtschaftskrise zu erholen. In vier Jahren gewährten die Vereinigten Staaten verschiedenen europäischen Ländern Kredite in Höhe von 13 Milliarden Dollar, um ihnen bei der **Wiederbelebung** ihrer Industrie und Landwirtschaft zu helfen.

Die US-Wirtschaftshilfe für Europa führte dazu, dass viele europäische Länder die Entscheidungen der USA in internationalen Gremien wie der NATO und den Vereinten Nationen unterstützten.

Die Sowjetunion hatte nach dem Zweiten Weltkrieg viele Ressourcen und **Verbündete** verloren und bemühte sich, die Freundschaft ihrer Nachbarländer zu sichern. Dies waren vor allem osteuropäische Länder. Einige übernahmen den Kommunismus **gewaltsam**. Andere taten es freiwillig.

KRISEN IM KALTEN KRIEG

Die erste Krise des Kalten Krieges ereignete sich, als die Sieger des Zweiten Weltkriegs Deutschland und seine Hauptstadt Berlin in vier Zonen aufteilten. Die drei westlichen Zonen gehörten zu Frankreich, den Vereinigten Staaten und Großbritannien, während die östliche Zone zur Sowjetunion gehörte. Der Kontrast zwischen Westdeutschland und Ostdeutschland war sehr groß. Westdeutschland erhielt die Wirtschaftshilfe der USA, während Ostdeutschland nach dem Krieg **verpflichtet** war, seine Schulden gegenüber der Sowjetunion zu begleichen. Obwohl die Vereinigten Staaten wollten, dass Deutschland **vereint** wird, zog die Sowjetunion es vor, Ostdeutschland für sich zu behalten. Erst im Jahr 1989 scheiterte der Kommunismus in Ostdeutschland. Deutschland feierte ein Jahr später seine **Wiedervereinigung**.

Eine weitere Krise des Kalten Krieges war die der Atomwaffen. Die Vereinigten Staaten waren die erste Macht, die im Jahr 1945 eine Atombombe baute und auch einsetzte. Die Sowjetunion baute und testete erst 1949 ihre erste Atombombe. Ab diesem Moment begann ein **Wettrüsten** zwischen beiden Ländern. Im Jahr 1952 stellten die Vereinigten Staaten eine Wasserstoffbombe her, die viel stärker war als alle bisherigen Atombomben. Unterdessen stellte die Sowjetunion 1953 ihre eigene Wasserstoffbombe her. Im Jahr 1957 stellte die Sowjetunion eine Interkontinentalrakete her, die in der Lage war, Atomwaffen auf andere Kontinente wie Nordamerika abzufeuern. Die Vereinigten Staaten entwickelten schnell eine eigene Rakete, um nicht zurückzufallen. All diese Bomben und Raketen wurden zur gegenseitigen Abschreckung hergestellt. Dies führte dazu, dass die Vereinigten Staaten und die UdSSR eine große Anzahl von Atombomben anhäuften, welche die Erde mit Leichtigkeit zerstören konnten. Die Weltbevölkerung lebte während des gesamten Kalten Krieges in Angst vor einem Atomkrieg.

Während des Kalten Krieges hatten die Vereinigten Staaten etwa 35.000 Atomwaffen. Im Jahr 2012 waren es mit 8.000 Atombomben (2.900 aktive, 2.800 in Reserve und 3.000 inaktive) bereits deutlich weniger. Die Sowjetunion verfügte während des Kalten Krieges über bis zu 45.000 Atomwaffen. Im Jahr 2012 besaß Russland noch fast 10.000 Atomwaffen (4.400 aktive und 5.500 als Reserve).

Die Vereinigten Staaten und die Sowjetunion nahmen an verschiedenen sogenannten Stellvertreterkriegen teil, um ihre kapitalistischen oder kommunistischen Ideale in Regionen zu verteidigen, in denen sich verbündete Länder gegenüberstanden. Die wichtigsten Stellvertreterkriege waren der Koreakrieg und der Vietnamkrieg. Nach der Niederlage Japans im Zweiten Weltkrieg wurde Korea in zwei Teile geteilt: den kommunistischen Norden und den kapitalistischen Süden. Im Jahr 1950 marschierte Nordkorea in Südkorea ein und begann den Koreakrieg. Der Krieg dauerte drei Jahre. Drei Millionen Zivilisten und fast eine Million Soldaten starben. Im Jahr 1953 wurde zwischen den beiden Koreas ein Waffenstillstand unterzeichnet. Beide Seiten erklärten sich zu Gewinnern. Neben dem Waffenstillstand wurde auch die Grenze zwischen dem Norden und dem Süden **festgelegt**.

Im Jahr 1962 beteiligten sich die Vereinigten Staaten am Vietnamkrieg. Ziel war es, die kommunistische Regierung des Landes zu stürzen. Knapp 10 Jahre später, im Jahr 1973, mussten sich die USA jedoch erfolglos zurückziehen. Der Vietnamkrieg dauerte insgesamt 20 Jahre. Die Soldaten aus dem kapitalistischen Südvietnam wurden von den USA unterstützt und kämpften gegen das kommunistische Nordvietnam, das seinerseits auf die Unterstützung der Sowjetunion und Chinas zählte. Zwischen 4 und 5 Millionen Menschen starben im Vietnamkrieg. Es ist der längste Krieg, an dem die Vereinigten Staaten teilgenommen haben. Er gilt als der wichtigste Krieg zu Zeiten des Kalten Krieges.

Der Kalte Krieg endete mit der **Auflösung** der Sowjetunion im Jahr 1991. Der Fall der Berliner Mauer im Jahr 1989 trug ebenfalls maßgeblich zum Ende des Kalten Krieges bei.

Wusstest du schon?

Während des Kalten Krieges wollten die Vereinigten Staaten die Macht ihrer Atombomben demonstrieren. Sie dachten sogar daran, eine Atombombe auf dem Mond zu zünden, um der Sowjetunion die Macht ihrer Bomben zu zeigen. Außerdem wollten sie sogar eine eigene Militärbasis auf dem Mond errichten.

Vokabular

(das) kollektive Eigentum collective property
(der) Einfluss influence
auszubauen (ausbauen) to develop, to extend
(das) Vordringen advance, progress
(die) Wiederbelebung revival
(der) Verbündete ally
gewaltsam by force
verpflichtet (verpflichten) to oblige
(die) Wiedervereinigung reunification
(das) Wettrüsten arms race
festgelegt (festlegen) to determine, to establish
(die) Auflösung dissolution

7. SONSTIGES

In diesem Abschnitt **erwähnen** wir einige kuriose Fakten und interessante Zahlen des Zweiten Weltkriegs.

Zunächst betrachten wir den Einsatz von Propaganda in den Vereinigten Staaten und Deutschland während des Zweiten Weltkriegs.

Außerdem **werfen wir einen Blick** auf die wichtigsten Zahlen des Zweiten Weltkriegs, wobei wir auch die Toten und die materiellen Verluste aufzeigen.

Zum Ende kommen wir auf das Kino und die Literatur zu sprechen, die vom Zweiten Weltkrieg inspiriert wurden. Wir erwähnen drei berühmte Filme und Bücher, die zur Zeit des Zweiten Weltkriegs spielen.

Vokabular

erwähnen to mention
zunächst first of all
werfen einen Blick (einen Blick auf etwas werfen) to take a look at something

7.1. WIE HAT SICH DIE PROPAGANDA IM ZWEITEN WELTKRIEG AUSGEWIRKT?

- *Im Zweiten Weltkrieg wurden nicht nur Schlachten zu Lande, in der Luft und auf See ausgetragen.*
- *Filme, Plakate und Nachrichten waren während des Krieges unerlässlich.*
- *Mit der Propaganda wurde die öffentliche Meinung manipuliert, um das Volk gegen den Feind zu vereinen.*

DIE MACHT DER PROPAGANDA WÄHREND DES ZWEITEN WELTKRIEGS

Propaganda besteht aus zahlreichen politischen Botschaften, die darauf **abzielen**, Anhänger zu gewinnen und die öffentliche Meinung so zu manipulieren, dass eine Idee besser aufgenommen wird als eine andere. Propaganda kann verschiedene Formen annehmen. Zur Zeit des Zweiten Weltkriegs wurden hauptsächlich Plakate und Filme verwendet.

Propaganda wurde während des Zweiten Weltkriegs **eingesetzt**, um die Ideale des Patriotismus und Nationalismus in der Bevölkerung zu fördern. Die Bürger sollten wissen, warum ihr Land sich im Krieg befand und wer ihre Feinde waren.

Alle am Zweiten Weltkrieg beteiligten Länder nutzten Propaganda. Besonders Deutschland und die Vereinigten Staaten sind heute für ihre damalige Propaganda bekannt.

In vielen Fällen waren die Propaganda-Botschaften falsch oder **maßlos übertrieben**. Die Produzenten der Filme oder Poster nutzten Probleme im feindlichen Land bewusst aus und übertrieben diese, um Hass gegen sie zu **schüren**. Die Vereinigten Staaten nutzten Propaganda, um die Produktivität ihrer Bürger **anzukurbeln**. Deutschland nutzte seinerseits Propaganda, um antisemitische Ideen zu verbreiten. Trotz dieser Unterschiede nutzten beide Länder Propaganda, um die Bürger gegen einen gemeinsamen Feind zu vereinen.

US-AMERIKANISCHE PROPAGANDA

Die Vereinigten Staaten wollten mit der Propaganda die Produktion der Rüstungsindustrie ankurbeln. Zu Kriegszeiten wurden viele **Flugblätter** verteilt, auf denen vor allem Mechaniker und Handwerker abgebildet wurden. Die Botschaften forderten mehr harte Arbeit, um noch mehr Waffen herzustellen und den Krieg zu gewinnen.

Die amerikanische Propaganda schürte außerdem den Hass auf die Japaner. In vielen amerikanischen Propaganda-Botschaften wurden die Japaner als wilde Tiere oder Monster dargestellt.

Die Vereinigten Staaten nutzten auch das Kino als Propaganda. Ein Beispiel hierfür ist der Film *December 7th: The Movie*. Er sollte das amerikanische Volk ermutigen, sich an den Japanern zu **rächen**, nachdem sie Pearl Harbor angegriffen hatten. Das Volk sollte Briefmarken kaufen, um der Armee Geld zu geben und sich so besser gegen die Japaner wehren zu können.

DIE DEUTSCHE PROPAGANDA

Die Propaganda war Adolf Hitler sehr wichtig. Er wollte den Nationalismus und den Respekt vor der NSDAP fördern. Natürlich wurde Propaganda auch genutzt, um den Judenhass zu schüren.

Viele der von Nazideutschland entworfenen Plakate zeigten Soldaten mit blonden Haaren und blauen Augen. Das sollte aufzeigen, dass die Reinheit des deutschen Volkes und der arischen Rasse verteidigt werden müsse. Die Botschaften stellten Juden als Menschen mit großen Nasen und übertriebenen Gesichtern dar, um **Ekel** zu provozieren.

Auch die Deutschen nutzten das Kino als Propaganda-Instrument. Es wurden mehrere Filme gedreht, die an der Front spielten. Die Nazis zeigten dabei nur ihre Erfolge und niemals Niederlagen. Sie ermutigten viele junge Männer, in die Wehrmacht einzutreten. Da Deutschland in den Filmen den Krieg zu gewinnen schien, glaubten viele junge Leute daran und wollten an dem Sieg **mitwirken**.

DIE PROPAGANDA ANDERER LÄNDER

Die Sowjetunion entwarf Plakate mit einer Länge von über einem Meter. Sie zeigten Bilder, die die Moral der Menschen steigern sollten. Auf vielen dieser Plakate wurden die Sowjets als große Soldaten und die Nazis als kleine Karikaturen dargestellt.

Sowjetische Plakate konzentrierten sich auf große Bilder mit sehr wenig Text, da viele sowjetische Soldaten und Zivilisten weder lesen noch schreiben konnten.

Die britische Propaganda konzentrierte sich hauptsächlich auf das Radio und Plakate, die denen der USA sehr ähnelten. Sie waren einfacher gestaltet und zeigten Soldaten und Frauen. Die Botschaften waren sehr unterschiedlich und umfassten sowohl **Ratschläge** als auch Warnungen. So sollten beispielsweise Frauen während des Krieges Geld sparen, während sich Arbeiter nicht zu lange ausruhen sollten, um die Produktivität der Briten nicht zu schwächen.

Wusstest du schon?

Während der Schlacht von Dünkirchen warfen die Deutschen sowohl Flugblätter als auch Bomben ab. Auf den Flugblättern stand auf Englisch: „Britische Soldaten! Schaut auf die Karte! Das ist eure Situation. Ihr seid umzingelt. Legt die Waffen nieder!“

Vokabular

unverlässlich unreliable
abzielen to aim
eingesetzt (einsetzen) to use
maßlos übertrieben (maßlos übertreiben) to overdo it
schüren to stir up
anzukurbeln (ankurbeln) to boost
(die) Flugblätter leaflets
rächen to revenge
(der) Ekel disgust
mitwirken to contribute
(die)Ratschläge advice

7.2. WIE LAUTEN DIE WICHTIGSTEN ZAHLEN DES ZWEITEN WELTKRIEGS?

- *Der Zweite Weltkrieg hinterließ eine riesige Spur menschlicher und materieller Verwüstung.*
- *Die genauen Zahlen für jene Verluste sind nur schwer zu berechnen.*
- *Es starben mehr als 40 Millionen Menschen.*

WIE VIELE MENSCHEN STARBEN WÄHREND DES ZWEITEN WELTKRIEGS?

Die Zahl der gefallenen, verwundeten, gefangen genommenen oder vermissten Soldaten kann nur geschätzt werden. Nur die Vereinigten Staaten und Großbritannien führten genaue **Aufzeichnungen** über ihre Soldaten, während andere Länder nur grobe **Schätzungen** anstellten.

Die Zahl der getöteten und verletzten Zivilisten ist noch schwieriger zu **ermitteln**. Wir wissen, dass viel mehr Zivilisten als Soldaten getötet wurden. Zivilisten waren während des Krieges in großer Gefahr, da sie Schlachten an Land, Luftangriffen, Hinrichtungen, Krankheiten, Hungersnöten und Schiffsuntergängen ausgesetzt waren.

Aus diesen Gründen wird die Gesamtzahl der Toten im

Zweiten Weltkrieg auf 35 bis 60 Millionen Menschen geschätzt. Die meisten Menschen starben in der Sowjetunion und in China.

Verluste während des Zweiten Weltkriegs					
Land	Gefallene Soldaten	Verwundete	Gefangene	Tote Zivilisten	Tote gesamt
Belgien	12 000	-	-	76 000	88 000
Brasilien	943	4222	-	-	1000
Britisches Commonwealth	373 372	475 047	251 724	92 673	466 000
Australien	23 365	39 803	32 393	-	24 000
Kanada	37 476	53 174	10 888	-	38 000
Indien	24 338	64 354	91 243	-	-
Neuseeland	10 033	19 314	10 582	-	10 000
Südafrika	6840	14 363	16 430	-	7000
Großbritannien	264 443	277 077	213 919	92 673	357 000
Britische Kolonien	6877	6972	22 323	-	7000
China	1 310 224	1 752 951	115 248	-	-
Tschechoslowakei	10 000	-	-	215 000	225 000
Dänemark	1800	-	-	2000	4000
Frankreich	213 324	400 000	-	350 000	563 000
Griechenland	88 300	-	-	325 000	413 000
Niederlande	7900	2860	-	200 000	208 000
Norwegen	3000	-	-	7000	10 000
Polen	123 178	236 606	420 760	5 675 000	5 800 000
Philippinen	27 000	-	-	91 000	118 000
USA	292 131	671 801	139 709	6000	298 000
Sowjetunion	11 000 000	-	-	7 000 000	18 000 000
Jugoslawien	305 000	425 000	-	1 200 000	1 505 000
Bulgarien	10 000	-	-	10 000	20 000
Finnland	82 000	50 000	-	2000	84 000
Deutschland	3 500 000	5 000 000	3 400 000	780 000	4 200 000
Ungarn	200 000	-	170 000	290 000	490 000
Italien	242 232	66 000	350 000	152 941	395 000
Japan	1 300 000	4 000 000	810 000	675 000	1 972 000
Rumänien	300 000	-	100 000	200 000	500 000
Quelle: Encyclopaedia Britannica ©					

Die bedeutendsten Opfer des Zweiten Weltkriegs waren die vom Naziregime ausgerotteten Juden und andere Minderheiten. Die genaue Zahl dieser Opfer ist nur schwierig zu bestimmen, da die Deutschen viele Dokumente vernichtet haben, bevor sie den Krieg verloren haben.

Schätzungen werden anhand demografischer Analysen sowie gefundener Dokumente und Zeugnisse vorgenommen. Die Morde wurden an verschiedenen Orten und unter verschiedenen Umständen durchgeführt: in Konzentrationslagern, in Ghettos und per **Schießkommando**.

Anzahl der Opfer des NS-Regimes während des Zweiten Weltkriegs	
Juden	6 Millionen
Sowjetische Zivilisten	Etwa 7 Millionen
Nichtjüdische polnische Zivilisten	Etwa 3 Millionen
Serbische Zivilisten (einschließlich derer aus dem heutigen Kroatien und Bosnien-Herzegowina)	312 000
Menschen mit Behinderungen, die in Einrichtungen leben	Bis zu 250.000
Rumänen (Zigeuner)	Bis zu 250.000
Zeugen Jehovas	Etwa 1900
Straftäter, Wiederholungstäter und sogenannte Asoziale	Mindestens 70.000
Politische Dissidenten, Mitglieder des Widerstands und Homosexuelle	Tausende
Quelle: The Holocaust Encyclopedia ©	

MATERIELLE VERLUSTE

Die materiellen Verluste des Zweiten Weltkriegs waren immens und sind ebenso schwierig zu berechnen. Die Gesamtkosten des Krieges für die Welt werden auf 1 Billion Dollar geschätzt. Dies wirkte sich negativ auf die Wirtschaft und das **Wohlergehen** der Überlebenden aus.

In Europa wurden viele Städte vollständig zerstört. Besonders betroffen waren Straßen, Autobahnen, Industrien und Ackerflächen. Die Luftangriffe waren die Hauptursache für die materiellen Verluste.

In Großbritannien zerstörten deutsche Luftangriffe 30 % der Häuser. Frankreich, Belgien und die Niederlande verloren 20 % der verfügbaren Wohnungen. In Polen wurden 30 % der **Gebäude,** 60 % der Schulen, 30 % des Ackerlandes und 30 % der Bergwerke, Kraftwerke und Industrieanlagen zerstört. Deutschland wurde durch die Angriffe von zwei Fronten stark **in Mitleidenschaft gezogen**. Durch die ständigen US-Luftangriffe auf deutsche Städte ging fast die Hälfte aller deutschen Großstädte verloren. Die materiellen Verluste in Europa waren so groß, dass mehr als 21 Millionen Menschen aus ihrer Heimat vertrieben wurden.

Japan hat durch die US-Luftangriffe große Verluste hinnehmen müssen. 66 japanische Städte wurden angegriffen, wobei etwa 40 % der Gebäude verloren gingen. Dadurch verloren fast 30 % der japanischen Bevölkerung ihre Häuser. Außerdem wurden mit Hiroshima und

Nagasaki zwei japanische Städte durch den Abwurf amerikanischer Atombomben **dem Erdboden gleich gemacht**.

Wusstest du schon?

80 % der im Zweiten Weltkrieg getöteten Menschen stammten aus nur vier Ländern: Russland, China, Deutschland und Polen.

Vokabular

(die) Verwüstung devastation
(die) Aufzeichnungen records
(die) Schätzungen estimates
ermitteln to detect
(das) Schießkommando firing squad
(das) Wohlergehen welfare
(das) Gebäude building
in Mitleidenschaft gezogen (in Mitleidenschaft ziehen) to affect
dem Erdboden gleich gemacht (dem Erdboden gleich machen) to completely destroy

7.3. WAS SIND DIE BEKANNTESTEN BÜCHER UND FILME, DIE VOM ZWEITEN WELTKRIEG HANDELN?

- *Der Zweite Weltkrieg veränderte die Welt und hatte großen Einfluss auf die Entwicklung des 20. Jahrhunderts.*
- *Viele Filmregisseure und Autoren erschufen Filme und Bücher über den Zweiten Weltkrieg.*
- *Sie bieten verschiedene Perspektiven auf den Krieg, sowohl aus Sicht der Alliierten als auch der Achsenmächte.*

DIE FILME ÜBER DEN ZWEITEN WELTKRIEG

Es gibt viele Filme über die **Ereignisse** und Persönlichkeiten des Zweiten Weltkriegs. In diesem Kapitel sprechen wir über drei Filme, die im Zweiten Weltkrieg spielen und mit dem Pazifikkrieg, der Schlacht um Dünkirchen und dem Holocaust drei wichtige Aspekte des Krieges ansprechen.

Letters from Iwo Jima (2006) ist ein Film, der von Clint Eastwood produziert und inszeniert wurde. Er spielt während der Schlacht von Iwo Jima. Auf dieser Insel wurde eine der wichtigsten Schlachten zwischen den

Amerikanern und Japanern **ausgetragen**. Der Film zeigt die Sichtweise der Japaner und wie sie die Insel vor den Amerikanern verteidigten. Er zeigt auch die Loyalität der Japaner zu ihrem Kaiser und wie sie bis zum Tod kämpften.

Dunkirk (2017) ist ein Film, der von Christopher Nolan geschrieben, produziert und inszeniert wurde. Er handelt von der Operation Dynamo, bei der 400.000 Soldaten von der Küste Frankreichs evakuiert wurden. Der Film spielt dabei nicht nur am Boden, sondern auch in der Luft und auf dem Wasser. Es gibt relativ wenige Dialoge, da er sich voll und ganz auf die Soldaten während der Evakuierung konzentriert.

Zu guter Letzt erwähnen wir mit *Schindlers Liste* (1993) einen von Steven Spielberg produzierten und inszenierten Film. Der Film spiegelt den Holocaust während des Zweiten Weltkriegs wider und erzählt die Geschichte von Oskar Schindler, einem deutschen **Geschäftsmann**, der mehr als tausend polnischen Juden das Leben rettete, indem er ihnen während des Krieges Arbeit in seiner Fabrik gab. Es ist ein Schwarzweißfilm, da Spielberg wollte, dass sein Film wie ein Dokumentarfilm aussieht und so der Geschichte mehr Realismus verliehen wird.

DREI BÜCHER ÜBER DEN ZWEITEN WELTKRIEG

Es gibt eine Vielzahl von Büchern über die Ereignisse und Persönlichkeiten des Zweiten Weltkriegs. Während es sich bei einigen um Fiktion handelt, sind andere die Erzählungen von **Zeitzeugen**.

Ist das ein Mensch? ist ein Buch, das Primo Levi zwischen den Jahren 1945 und 1947 geschrieben hat. Es erzählt von seinen **Erfahrungen** im Vernichtungslager Auschwitz während des Zweiten Weltkriegs. So berichtet er von den Gräueltaten, die er dort als jüdischer Gefangener erlebt hat und wie er trotz unmenschlicher Lebensumstände wie Hunger, Gewalt, Angst, Kälte und Demütigung überleben konnte.

Hiroshima ist eine Reportage von John Hersey, die er im Jahr 1946 veröffentlichte. Sie erzählt die Geschichten von sechs Menschen, die die Atombombenexplosion in Hiroshima überlebt haben. Dabei handelt es sich um zwei Ärzte, einen evangelischen **Pfarrer**, eine Witwe, einen jungen Fabrikarbeiter und einen katholischen Priester aus Deutschland. In späteren Ausgaben wurde ein neues Kapitel über das Leben der Überlebenden 40 Jahre nach der Explosion der Atombombe hinzugefügt.

Stalingrad ist ein Buch von Theodor Plievier, das im Jahr 1949 veröffentlicht wurde. Es erzählt von der Schlacht um Stalingrad, die als eine der blutigsten des gesamten Zweiten Weltkriegs gilt. Hierfür interviewte der Autor mehrere deutsche Soldaten, die von den Sowjets während der Schlacht um Stalingrad gefangen genommen wurden.

Wusstest du schon?

Während des Zweiten Weltkriegs wurde das Hollywood War Activities Committee gegründet. Es koordinierte Aktionen zwischen der US-Regierung, Hollywood-Studios und Kinos im ganzen Land, um anhand von neuen Filmproduktionen die Kriegsbereitschaft der US-Amerikaner zu fördern.

Vokabular

(die) Ereignisse events
ausgetragen (austragen) to hold
(der) Geschäftsmann businessman
(die) Zeitzeugen eyewitnesses
(die) Erfahrungen experiences
(der) Pfarrer priest

BIBLIOGRAPHY

"Allied powers"(23 December 2019). *Encyclopaedia Britannica.* Retrieved on April 12th, 2020, from https://www.britannica.com/topic/Allied-Powers-international-alliance.

"Anschluss" (n.d.). In *Encyclopedia Britannica.* https://www.britannica.com/event/Anschluss

"Axis powers" (18 February 2020). *Encyclopaedia Britannica.* Recuperado el 12 de abril de 2020, en https://www.britannica.com/topic/Axis-Powers.

"Batalla de Francia"(18 April 2020). *Encyclopaedia Britannica.* Retrieved on April 18th, 2020 from https://www.britannica.com/event/Battle-of-France-World-War-II

"Battle of Britain". (20 March 2020). *Encyclopaedia Britannica.* Retrieved on April 29th, 2020 from https://www.britannica.com/event/Battle-of-Britain-European-history-1940.

"Battle of Midway". (6 November 2019). *Encyclopaedia Britannica.* Retrieved on April 29th, 2020 from https://www.britannica.com/event/Battle-of-Midway.

"Battle of Stalingrad". (16 January 2020). *Encyclopaedia Britannica.* Retrieved on April 29th, 2020 from https://www.britannica.com/event/Battle-of-Stalingrad.

"Battles of El-Alamein". (16 October 2019). *Encyclopaedia Britannica.* Retrieved on April 29th, 2020 from https://www.britannica.com/event/battles-of-El-Alamein.

Barbosa de Oliveira, Alexandre; Franco Santos, Tânia; Alencar Barreira, Ieda; y Almeida Filho, Antonio José. (2009): "Las Enfermeras de la Fuerza Expedicionaria Brasileña y la Divulgación de su Retornoal Hogar". From *Revista Latinoamericana Enfermagen*, XVII-6. Retrieved on June 12th, 2020 from www.eerp.usp.br/rlae.

BBC Radio 4 (2015): "Outtake: Death by farting?" *The Unbelievable Truth*, season 14, 1 February 2015, BBC Radio 4: England.

Bechhaus-Gerst, M. (n.d.). *German colonial rule*. Oxford Bibliographies. doi.org/10.1093/OBO/9780199846733-0020

"Benito Mussolini". (24 March 2020). *Encyclopaedia Britannica*. Retrieved on April 29th, 2020 from https://www.britannica.com/biography/Benito-Mussolini.

Bielakowski, Alexander (2007). *African American Troops in World War II*. Great Britain: Osprey Publishing.

Boček, J. & Cibulka, J. (2016, June 10). *Does Sudetenland exist? The border is distinguishable even 70 years after the expulsion of the Germans*. Český rozhlas. https://interaktivni.rozhlas.cz/sudetenland/www/

Brayley, Martin (2001). *War War II Allied Women's Services*. GreatBritain: Osprey Publishing.

Brunetta, Gian Piero (2003): "Istituto Nazionale L.U.C.E". *Enciclopedia del Cinema*. Retrieved on May 20th, 2020 from http://www.treccani.it/enciclopedia/istituto-nazionale-l-u-c- e_%28Enciclopedia-del-Cinema%29/

Buchenwald memorial. (n.d.). Buchenwald and Mittelbau-Dora memorials foundation. Retrieved on January 15, 2022 from https://www.buchenwald.de/en/69/

Calkins, Derreck. (2011): *A Military Force on a Political Mission: The Brazilian Expeditionary Force in World War II*. Masters' thesis. Retrieved on June 12th, 2020 from https://digitalcommons. georgiasouthern.edu/etd/600.

Cameron, R. (2012, May 27). *Czech pride in Jan Kubis, killer of Reinhard Heydrich*. BBC News. https://www.bbc.com/news/world-europe-18183099

Citino, R. (2018, July 19). *The rise of the Panzer division*. The National World War II Museum. https://www.nationalww2museum.org/war/articles/rise-panzer-division

---. (2018, June 14). *Drive to nowhere: The myth of the Afrika Korps, 1941-43.* The National World War II Museum. Retrieved on January 16, 2022 from https://www.nationalww2museum.org/war/articles/drive-nowhere-myth-afrika-korps-1941-43

Cohen, B. (2017, July 21). *Why Switzerland never takes sides.* BBC Travel. https://www.bbc.com/travel/article/20170717-the-country-that-cant-choose-a-side

Corigliano, Francisco (2001). "La neutralidad acosada (1939-1945): La Argentina frente a la Segunda Guerra Mundial". *Todo es Historia,* N°506.

"División Azul" (8 July 2020). *Wikipedia.* Recuperado el 8 de julio de 2020, en https://es.wikipedia.org/wiki/Divisi%C3%B3n_Azul

El Grupo Editores Venezolanos C.A. (1990). *La Segunda Guerra Mundial. Crónica ilustrada día por día de 1939 a 1945 en dos volúmenesde colección* (Volumen I y II). Caracas.

"Ente Nazionale della Moda" (s.f.). *Enciclopedia della Moda MAM-e.* Retrieved on May 20th, 2020 from https://moda.mam-e.it/dizionario-della-moda/ente-nazionale-della-moda/

Europa Press. Winston Churchill, sus discursos más famosos. Retrieved on May 7th, 2020 from https://www.europapress.es/internacional/noticia-winston-churchill-discursos-mas-famosos-20150124082352.html

Facing the past to liberate the future: Colonial Africa in the German mind. (2005, January). Humanity in Action: Deutschland. Retrieved on January 16, 2022 from https://www.humanityinaction.org/knowledge_detail/facing-the-past-to-liberate-the-future-colonial-africa-in-the-german-mind/

Federal Department of Foreign Affairs (FDFA). (n.d.). *Language – facts and figures.* https://www.eda.admin.ch/aboutswitzerland/en/home/gesellschaft/sprachen/die-sprachen---fakten-und-zahlen.html

—. *Neutrality.* https://www.eda.admin.ch/eda/en/home/foreign-policy/international-law/neutrality.html

Fellner, F. (n.d.). Austria. In *Encyclopedia Britannica*. https://www.britannica.com/place/Austria

"Franklin D. Roosevelt". (8 April 2020). *Encyclopaedia Britannica*. Retrieved on April 29th, 2020 from https://www.britannica.com/biography/Franklin-D-Roosevelt.

"Great Depression" (2 December 2019). *Encyclopaedia Britannica*. Retrieved on April 13th, 2020 from https://www.britannica.com/event/Great-Depression.

Golson, E. (2019, November 11). *The economics of neutrality in World War II*. VoxEU. https://voxeu.org/article/economics-neutrality-world-war-ii

Görlitz, W. O. J. (n.d.). Erwin Rommel. In *Encyclopedia Britannica*. https://www.britannica.com/biography/Erwin-Rommel#ref8422

Gross, D. A. (2015, October 28). A brutal genocide in colonial Africa finally gets its deserved recognition. https://www.smithsonianmag.com/history/brutal-genocide-colonial-africa-finally-gets-its-deserved-recognition-180957073/

"Guerra Civil Española" (8 June 2020). *Wikipedia*. Recuperado el10 de junio de 2020 en https://es.wikipedia.org/wiki/Guerra_civil_espa%C3%B1ola

Guilmartin, J. F. (n.d.). Rocket and missile system. In *Encyclopedia Britannica*. https://www.britannica.com/technology/rocket-and-missile-system#ref57309

Hernadez Galindo, Sergio (2008). "La guerra interna contra los japoneses". *Dimensión Antropológica*, Year 15, Vol. 43.

Higginbotahn, Michael (2000). "Soldiers for Justice: The Role of the Tuskegee Airmen in the Desegregation of the American Armed Forces". *William & Mary Bill Of Rights Journal*, Vol. 8, No 2.

"Hitler Youth". (31 January 2020). *Encyclopaedia Britannica*. Retrieved on April 3rd, 2020 from https://www.britannica.com/topic/Hitler-Youth.

History. (n.d.). Embassy of the principality of Liechtenstein, Washington, D.C. Retrieved on January 9, 2022 from https://www.liechtensteinusa.org/page/history

Hollingham, R. (2014, September 7). V2: *The Nazi rocket that launched the Space Age*. BBC Future. https://www.bbc.com/future/article/20140905-the-nazis-space-age-rocket

How the Holocaust-Swiss banks deal was brokered. (2018, August 13). SWI: swissinfo.ch https://www.swissinfo.ch/eng/dormant-accounts_how-switzerland-coped-with-holocaust-funds/44319054

Imperial War Museum. (n.d.). *A 5-minute history of the Battle of El Alamein*. https://www.iwm.org.uk/history/a-5-minute-history-of-the-battle-of-el-alamein

---. *9 iconic aircraft from the Battle of Britain*. https://www.iwm.org.uk/history/9-iconic-aircraft-from-the-battle-of-britain

—. (n.d.). *The German 'Lightning War' strategy of the Second World War*. https://www.iwm.org.uk/history/the-german-lightning-war-strategy-of-the-second-world-war

—. (n.d.). *How Britain invented the tank in the First World War*. Retrieved on January 15, 2022 from https://www.iwm.org.uk/history/how-britain-invented-the-tank-in-the-first-world-war

—. (n.d.). *A short guide to the war in Africa during the Second World War*. https://www.iwm.org.uk/history/a-short-guide-to-the-war-in-africa-during-the-second-world-war

Independent Commission of Experts Switzerland – Second World War. (n.d.). *Switzerland and refugees in the Nazi era*. https://www.swissbankclaims.com/Documents/DOC_15_Bergier_Refugee.pdf

Institute of the Jewish World Congress, The. (1996). *The sinister face of 'neutrality': The role of Swiss financial institutions in the plunder of European Jewry*. Frontline. Retrieved on January 9, 2022 from https://www.pbs.org/wgbh/pages/frontline/shows/nazis/readings/sinister.html

"Italian East Africa" (n.d.). In *Encyclopedia Britannica.* https://www.britannica.com/place/Italian-East-Africa

"Joseph Stalin". (27 March 2020). *Encyclopaedia Britannica.* Retrieved on April 29th, 2020 from https://www.britannica.com/biography/Joseph-Stalin.

La Enciclopedia del Estudiante: Tomo 2: Historia Universal. (2006).Buenos Aires: Santillana.

"Lenin" (30 de mayo de 2020). *Wikipedia.* Recuperado el 1 de junio de 2020 en https://es.wikipedia.org/wiki/Lenin

"Liberación de París" (26 de junio de 2020). *Wikipedia.* Recuperado el 8 de julio de 2020 en https://es.wikipedia.org/wiki/Liberaci%C3%B3n_de_Par%C3%ADs

Liechtenstein at a glance. (n.d.). Embassy of the principality of Liechtenstein, Washington, D.C. Retrieved on January 9, 2022 from https://www.liechtensteinusa.org/page/liechtenstein-at-a-glance

Lockie, R. (2015, September 19). *How Hitler tried to terrorize the seas with U-boats during World War II.* Insider. https://www.businessinsider.com/hitlers-nazi-u-boats-terrorized-the-seas-during-world-war-ii-2015-9

Lohdi, N. (2019, October 21). *The deportation of Luxembourg's Jewish community during WWII.* RTL Today. https://today.rtl.lu/culture/exhibitions-and-history/a/1419329.html

Luxembourg: Let's make it happen. (n.d.). *Luxembourg's territory.* Retrieved on January 19, 2022 from https://luxembourg.public.lu/en/society-and-culture/territoire-et-climat/territoire.html

—. (n.d.). *Openness to the world.* Retrieved on January 19, 2022 from https://luxembourg.public.lu/en/society-and-culture/history/ouverture-monde.html

—. (n.d.). *Population.* Retrieved on January 19, 2022 from https://luxembourg.public.lu/en/society-and-culture/population/demographics.html

—. (n.d.). *Second World War: The toughest ordeal for the people.* Retrieved on January 9, 2022 from https://luxembourg.public.lu/en/society-and-culture/history/second-world-war.html

—. (n.d.). *What languages do people speak in Luxembourg?* Retrieved on January 19, 2022 from https://luxembourg.public.lu/en/society-and-culture/languages/languages-spoken-luxembourg.html

Lowe, Norman. (2010). *Guía Ilustrada de la Historia Moderna.* México D.F.: Fondo de Cultura Económica.

"Midway Islands" (26 July 2016). *Encyclopaedia Britannica.* Retrieved on July 1st, 2020 from https://www.britannica.com/place/Midway-Islands

Mizokami, K. (2018, December 20). Was the German Tiger tank really that great? *Popular Mechanics.* https://www.popularmechanics.com/military/weapons/a25644804/german-tiger-tank/

"Munich Agreement". In *Encyclopedia Britannica.* https://www.britannica.com/event/Munich-Agreement

National Army Museum. (n.d.). *Bernard Law Montgomery: Unbeatable and unbearable.* https://www.nam.ac.uk/explore/bernard-montgomery

---. (n.d.). *Second World War: The struggle for North Africa,* 1940-43. Retrieved on January 9, 2022 from https://www.nam.ac.uk/explore/struggle-north-africa-1940-43

Nazi camp labor used in Liechtenstein. (20015, April 14). Deutsche Welle. https://www.dw.com/en/nazi-camp-labor-used-in-liechtenstein/a-1552304

Nazi crimes taint Liechtenstein. (2005, April 14). BBC News. http://news.bbc.co.uk/2/hi/europe/4443809.stm

Nazi pressure? (1938, April 11). Time. Retrieved on January 20, 2022 from https://web.archive.org/web/20070309222117/http://www.time.com/time/magazine/article/0,9171,759431,00.html

"Normandy Invasion". (16 January 2020). *Encyclopaedia Britannica.* Retrieved on April 29th, 2020 from https://www.britannica.com/event/Normandy-Invasion.

Onuma, Y. (n.d.). Hugo Grotius. In *Encyclopedia Britannica.* https://www.britannica.com/biography/Hugo-Grotius

"Operation Barbarossa". (7 May 2018). *Encyclopaedia Britannica.*Retrieved on April 29th, 2020 from https://www.britannica.com/event/Operation-Barbarossa.

Orwell, George (2000, ed.) *Homage to Catalonia.* London: Penguin Books.

"Panzer" (n.d.). In *Encyclopedia Britannica.* https://www.britannica.com/technology/panzer

Panzerkampfwagen. (2021, April 24). In *Wiktionary.* https://en.wiktionary.org/w/index.php?title=Panzerkampfwagen&oldid=62420756

"Pearl Harbor and the "Back Door to War" Theory. (7 May 2018). *Encyclopaedia Britannica.* Retrieved on April 29th, 2020 from https://www.britannica.com/topic/Pearl-Harbor-and-the-back- door-to-war-theory-1688287.

"Pearl Harbor Attack" (8 January 2020). *Encyclopaedia Britannica.* Retrieved on July 1st, 2020 from https://www.britannica.com/ event/Pearl-Harbor-attack

"Prisoner of war". (11 December 2018). *Encyclopaedia Britannica.* Retrieved on April 3rd, 2020 from https://www.britannica.com/topic/prisoner-of-war.

Ray, M. (n.d.). Luftwaffe. In Encyclopedia Britannica. https://www.britannica.com/topic/Luftwaffe

Repatriation of skulls from Namibia: University of Freiburg hands over human remains in ceremony. (2014, March 4). Albert-Ludwigs-Universität Freiburg. Retrieved on January 18, 2022 from https://web.archive.org/web/20140403122718/http://www.pr.uni-freiburg.de/pm/2014/pm.2014-03-04.18-en

Riaud, X. (2015, May 29). *History of Nazi dental gold: from dead bodies till [sic] Swiss banks.* SAJ Forensic Science, 1(1). Retrieved on January 20, 2022 from https://article.scholarena.co/History-of-Nazi-Dental-Gold-From-Dead-Bodies-till-Swiss-Bank.pdf

Riva, Ramón. (1994): "Venezuela, petróleo y la Segunda Guerra Mundial (1939-1945): un ejemplo histórico para las nuevas generaciones". *Revista Economía*, No.10. Mérida: Universidad delos Andes.

Rosenbaum, R. (2012, February). Revisiting the rise and fall of the Third Reich. *Smithsonian Magazine.* https://www.smithsonianmag.com/history/revisiting-the-rise-and-fall-of-the-third-reich-20231221/

Royde-Smith, J. G. (n.d.). World War II, 1939-1945. In *Encyclopedia Britannica.* https://www.britannica.com/event/World-War-II#ref53532

Schuler, Friedrich. (1987): "Alemania, México y los Estados Unidos durante la Segunda Guerra Mundial". *Secuencia: revista de historiay ciencias sociales*, No. 7. Retrieved on June 2nd, 2020 from http:// dx.doi.org/10.18234/secuencia.v0i07.169.

Second World War: The toughest ordeal for the people. (n.d.). Luxembourg: Let's make it happen. Retrieved on January 9, 2022 from https://luxembourg.public.lu/en/society-and-culture/history/second-world-war.html

"Sudetenland" (n.d.). In *Encyclopedia Britannica.* https://www.britannica.com/place/Sudetenland

"Third Reich" (n.d.). In *Encyclopedia Britannica.* https://www.britannica.com/place/Third-Reich

"Treaty of Versailles" (6 January 2020). *Encyclopaedia Britannica.* Retrieved on April 13th, 2020 from https://www.britannica.com/event/Treaty-of-Versailles-1919.

"U-boat" (n.d.). In *Encyclopedia Britannica.* https://www.britannica.com/technology/U-boat

United States Holocaust Memorial Museum, (s/f): *Anschluss.* https://www.ushmm.org/collections/bibliography/anschluss

---. (n.d.). *Holocaust Encyclopedia: Austria.* https://encyclopedia.ushmm.org/content/en/article/austria

---. (n.d.) "Italia". *Holocaust Encyclopedia.* https://encyclopedia.ushmm.org/content/ es/article/Italy

---. (n.d.). *Holocaust Encyclopedia: Lebensraum.* https://encyclopedia.ushmm.org/content/en/article/lebensraum

"V-2 rocket." In *Encyclopedia Britannica.* https://www.britannica.com/technology/V-2-rocket

Ventosa, J. R. (26 January 2020). El arrogante general McArthur, un héroe incómodo para Washington. *La Vanguardia.* Retrieved on July 1st, 2020 from https://www.lavanguardia.com/historiayvida/ historia-contemporanea/20200126/473096655132/douglas- macarthur-eeuu-iigm-japon-corea.html

Warnock, A. T. (1999). *Air power versus U-boats: Confronting Hitler's submarine menace in the European theater.* U. S. Department of Defense. https://media.defense.gov/2010/May/25/2001330266/-1/-1/0/AFD-100525-066.pdf

Weiner Holocaust Library, The. (n.d.). *Life in Nazi-controlled Europe: Foreign policy and the road to war.* Retrieved on January 9, 2022 from https://www.theholocaustexplained.org/life-in-nazi-occupied-europe/foreign-policy-and-the-road-to-war/anschluss/

Winks, Robin. (2000). *Historia de la Civilización: de 1648 al Presente* (Volumen II). México, D.F.: Pearson Education.

"World War II" (7 November 2019). *Encyclopaedia Britannica.* Retrieved on April 12th, 2020 from https://www.britannica.com/event/World-War-II.

ENDE

THANKS FOR READING!

I hope you have enjoyed this book and that your language skills have improved as a result!

A lot of hard work went into creating this book, and if you would like to support me, the best way to do so would be to leave an honest review of the book on the store where you made your purchase.

Want to get in touch? I love hearing from readers. Reach out to me any time at *olly@storylearning.com*

To your success,

Olly Richards

MORE FROM OLLY

If you have enjoyed this book, you will love all the other free language learning content I publish each week on my blog and podcast: *StoryLearning*.

Blog: Study hacks and mind tools for independent language learners.

www.storylearning.com

Podcast: I answer your language learning questions twice a week on the podcast.

www.storylearning.com/itunes

YouTube: Videos, case studies, and language learning experiments.

www.youtube.com/ollyrichards

COURSES FROM OLLY RICHARDS

If you've enjoyed this book, you may be interested in Olly Richards' complete range of language courses, which employ his StoryLearning® method to help you reach fluency in your target language.

Critically acclaimed and popular among students, Olly's courses are available in multiple languages and for learners at different levels, from complete beginner to intermediate and advanced.

To find out more about these courses, follow the link below and select "Courses" from the menu bar:

www.storylearning.com/courses

"Olly's language-learning insights are right in line with the best of what we know from neuroscience and cognitive psychology about how to learn effectively. I love his work!"

Dr. Barbara Oakley,
Bestselling Author of "A Mind for Numbers"

Milton Keynes UK
Ingram Content Group UK Ltd.
UKHW040644191223
434651UK00001B/6